O umiejętności życia

Tadeusz Gadacz

O umiejętności życia

WYDAWNICTWO ZNAK ▪ 2009

Opracowanie graficzne
OLGIERD CHMIELEWSKI

Fotografia na okładce
Piotr Głowinkowski

Redaktor tomu
Wojciech Bonowicz

Korekta
Piotr Mocniak
Joanna Stovrag

Łamanie
Irena Jagocha

ISBN 978-83-240-0495-9

Książki z dobrej strony: www.znak.com.pl
Społeczny Instytut Wydawniczy Znak, 30-105 Kraków, ul. Kościuszki 37
Bezpłatna infolinia: 0800-130-082, e-mail: czytelnicy@znak.com.pl

Społeczny Instytut Wydawniczy Znak, Kraków 2003.
Wydanie I, dodruk 2009
Druk: Rzeszowskie Zakłady Graficzne S.A., Miłocin 181 k. Rzeszowa

WPROWADZENIE

> Siedzę na życiu niczym kiepski jeździec na koniu. Jedynie łagodności konia zawdzięczam to, że nie zostaję teraz zrzucony[1].

Żyć trzeba umieć. Jakże często bowiem żyć nie umiemy. Dobre życie jest umiejętnością. Jesteśmy biegli w wielu umiejętnościach, ale mało kto opanował umiejętność życia. „Człowiek zajęty najmniej jest zdatny do życia, ponieważ żadna umiejętność nie jest trudniejsza niż umiejętność życia. Biegłych w innych umiejętnościach jest wszędzie wielu, niektóre z nich nawet młodzi opanowali do tego stopnia, że i sami mogliby innych nauczać. Żyć jednak trzeba się uczyć przez całe życie, a czym zapewne jeszcze bardziej się zdziwisz, przez całe życie trzeba się uczyć umierać"[2].

Warunkiem umiejętnego życia jest myślenie. Ono właśnie odróżnia człowieka od zwierząt. Dlatego „bezmyślnym życiem żyć człowiekowi nie warto"[3]. Myśląc o życiu, możemy uczyć się go, gdyż na tę umiejętność nigdy nie jest za późno. Najczęściej bowiem dowiadujemy się,

---

[1] L. Wittgenstein, *Uwagi o religii i etyce*, przekład zbiorowy, Kraków 1995, s. 148.

[2] L. A. Seneka, *Dialogi*, przeł. L. Joachimowicz, Warszawa 1989, s. 144–145.

[3] Platon, *Obrona Sokratesa*, 38 a., w: *Eutyfron. Obrona. Kriton*, przeł. W. Witwicki, Warszawa 1958, s. 125.

czym jest życie, gdy właściwie musimy powiedzieć, że dobiegło ono końca.

Książkę, którą ośmielam się zaproponować czytelnikom, pisałem przez długi czas, publikując „po drodze" większą jej część w różnych czasopismach i pracach zbiorowych. Składają się na nią fenomenologiczne analizy różnych doświadczeń ludzkiej egzystencji, zilustrowane bliskimi mi, pięknymi i celnymi myślami tych filozofów, z którymi odczuwam pokrewieństwo duchowe (m.in. Platona, Seneki, B. Pascala, S. Kierkegaarda, S. Weil, E. Lévinasa, J. Tischnera). Nie próbuję w nich dawać łatwych rozwiązań, gdyż takich nie znam. Sądzę, że żyć umiejętnie to być świadomym tajemnicy i powagi ludzkiej egzystencji, jej antynomii i paradoksów. Bardziej stawiać pytania, niż formułować proste odpowiedzi. Jedno wszakże nie ulega dla mnie wątpliwości: że istotą życia umiejętnego jest dobro i nadzieja. Nauczył mnie tego mój mistrz, ks. prof. Józef Tischner. Jemu chciałbym dedykować tę książkę, by przynajmniej w ten symboliczny sposób zacząć spłacać mu dług wdzięczności za naukę obowiązku myślenia. Słowa wdzięczności chciałbym także skierować do prof. Stanisława Grygiela, mojego pierwszego nauczyciela filozofii, który zafascynował mnie miłością mądrości.

UMIEJĘTNOŚĆ ŻYCIA

Nie samo życie jest dobrem, ale życie dobre[1].

Kiedy zastanawiamy się nad pojęciem życia, przebiegają przez naszą myśl rozmaite skojarzenia. Możemy rozpatrywać życie jako pewien biologiczny proces. Takie spojrzenie na życie jest charakterystyczne dla biologii, biochemii, medycyny – nauk, które usiłują zgłębić tajemnicę życiowych procesów, by odpowiedzieć na pytania: w jaki sposób życie powstało? Czym różni się żywy organizm od martwej rzeczy? Na czym polega istota życia? Charakterystyczną cechą życia w jego wymiarze biologicznym jest dążenie do przetrwania. Żywy organizm usiłuje utrzymać się przy życiu. Temu służy odżywianie, sen, biologiczna reprodukcja gatunku. A jednak, choć w człowieku zachodzą biologiczne procesy życiowe, nie żyje on wyłącznie jak zwierzęta czy rośliny. „Zresztą wyłącznie dla przyjemności jedzenia bądź rozkoszy miłosnych – pisał Arystoteles – gdy się jest pozbawionym pozostałych przyjemności, jakich dostarcza ludziom bądź to poznanie, bądź widzenie, bądź któryś pozostały zmysł, nikt nie przeceniałby życia, chyba że byłby w ogóle niewolnikiem. Widzimy bowiem, że dla człowieka, który dokonuje takiego wyboru, nie miałoby różnicy, czy jest on zwierzęciem, czy człowiekiem. W każdym razie byk

---

[1] L. A. Seneka, *Myśli*, przeł. S. Stabryła, Kraków 1987, s. 289.

w Egipcie, którego czczą jako Apisa, w większości tego rodzaju spraw posiada większe możliwości niż wielu monarchów. Podobnie także nie wybiera się życia dla przyjemności snu: bo jaka jest różnica pomiędzy spaniem od pierwszego aż do ostatniego dnia w ciągu tysiąca lat albo i dłużej, a życiem rośliny"[2]. Także człowiek musi troszczyć się o utrzymanie swego życia. Nie jest jednak bytem, którego istota, by wyrazić się słowami Spinozy, polega jedynie na „*in suo esse perseverare*" (zachowaniu siebie, przetrwaniu w swoim istnieniu).

Życie, które jedynie usiłuje przetrwać, jest całkowicie skupione na sobie samym i zamknięte. Natomiast życie ludzkie jest otwarte, nieustannie przekracza siebie. „Życie jest w istocie ekspansją – pisał Max Scheler – rozwojem, osiąganiem coraz większej pełni – nie jest więc »samozachowaniem« wbrew fałszywej nauce, jakoby wszystkie zjawiska rozwoju, ekspansji, wzrostu były tylko zwykłymi epifenomenami sił zachowujących życie i jakoby wobec tego można było je sprowadzić do utrzymywania przy życiu »lepiej przystosowanych«. Zgodnie z naszym poglądem można poświęcić życie nawet na rzecz wartości przewyższających jeszcze wartości zawarte w życiu samym; ale to nie znaczy, że każde poświęcenie jest działaniem wymierzonym przeciw życiu i jego spotęgowaniu. Przeciwnie, zdarzają się poświęcenia polegające na dobrowolnym oddaniu własnego bogactwa witalnego, na pięknym i naturalnym przelaniu sił. Ten pęd do poświęceń na rzecz istot, z którymi – w przeciwieństwie do

---

[2] Arystoteles, *Etyka wielka. Etyka eudemejska*, przeł. W. Wróblewski, Warszawa 1977, s. 187.

wszystkiego, co »martwe« – poczuwamy się do jedności i solidarności dzięki właściwemu wszystkim istotom żywym specyficznemu darowi przebywania wspólnie z innymi żywymi istotami (w zależności od stopnia ich bliskości i jednorodności z daną istotą), nie jest bynajmniej w samym życiu nabyty i nie daje się wyprowadzić z pierwotnych popędów egoistycznych. Jest to pierwotna właściwość życia, istniejąca jeszcze przed pojawieniem się jakichkolwiek określonych »celów« i »zamiarów«, które potem rachuba, rozsądek i rozwaga przypisują temu »popędowi«. Coś nas pcha do poświęceń – zanim wiemy, dlaczego, po co i dla kogo!"[3]. Choć więc człowiek uznaje życie za znaczącą wartość, to jednak czasami odkrywa inne wartości, które uznaje za wyższe od własnego życia, i gotów jest dla nich je poświęcić.

A zatem życie jest nam nie tylko dane, jak zwierzętom, które zamknięte są w obrębie swego instynktu i gatunku, ale zadane. Życie polega na czynieniu użytku z życia. Nie tylko na biernej wymianie energii, na odbieraniu wrażeń, lecz na twórczym działaniu. Żyć to znaczy wpływać na świat, przekształcać go. Życie jest więc procesem, w wyniku którego wdzieramy się w otaczającą rzeczywistość naszym zachowaniem, czynami, postępowaniem. To prawda, że człowiek, by móc cokolwiek uczynić, musi także starać się o przetrwanie. Dopiero jednak gdy przekracza samo swoje życie, nabiera do niego dystansu.

Innym razem życie ukazuje się nam jako określony dla danej epoki sposób myślenia czy postępowania. Możemy

---

[3] M. Scheler, *Resentyment a moralność*, przeł. J. Garewicz, Warszawa 1977, s. 95–97.

także mówić o pewnych cechach życia charakteryzujących nie tylko epoki, ale i narody. Pisał półżartem Henryk Elzenberg: „Rosjaninem życie wstrząsa. Niemiec daje się życiu przenikać. Francuz rozkoszuje się życiem, a Anglik »przyjmuje« życie w swym salonie lub gabinecie”[4]. Takie rozumienie życia mają na myśli ludzie starsi, gdy z tęsknotą wspominają swoją młodość, kiedy „żyło się inaczej, lepiej”. W takim znaczeniu piszą o życiu historycy, zauważający na przykład, że „w średniowieczu żyło się inaczej niż obecnie”. Życie ludzkie nie może jednak zostać sprowadzone wyłącznie do sposobu życia zgodnego z obyczajami charakterystycznymi dla danej historycznej epoki czy grupy społecznej. „Ujrzałem, że najważniejsze w życiu to zarabiać na chleb i zostać radcą prawnym; że najwyższą rozkoszą miłości jest ożenić się bogato; że błogosławieństwem przyjaźni jest wzajemna pomoc w trudnościach pieniężnych; że jest mądrością podzielać zdanie innych; że jest natchnieniem mieć mowę przy stole; że jest odwagą narazić się na grzywnę 10 talarów; że jest serdecznością powiedzieć po obiedzie »na zdrowie«; że jest bojaźnią bożą raz na rok przystąpić do komunii. Ujrzałem to wszystko i zacząłem się śmiać” – tak kpił z tego rodzaju życia Søren Kierkegaard[5].

Znowu innym razem utożsamiamy życie z istnieniem. Życie ukazuje się nam tu w metafizycznym wymiarze jako budząca zdumienie tajemnica. W takim znaczeniu my-

---

[4] H. Elzenberg, *Kłopot z istnieniem*, Kraków 1994, s. 367.

[5] S. Kierkegaard, *Albo – albo*, przeł. J. Iwaszkiewicz, Warszawa 1976, t. I, s. 36.

ślą o życiu, jako czymś cudownym, rodzice, którzy biorą w ramiona swoje nowo narodzone dziecko. Tak doświadcza istnienia drugiego człowiek kochający. To pozytywne doświadczenie życia jako istnienia ustępuje jednak często doświadczeniom negatywnym. „Wiem więcej o życiu, bom tak często był bliski jego utraty: i właśnie dlatego mam więcej z życia, niż wy wszyscy!"[6] – pisał Friedrich Nietzsche. Powstaje pytanie: w jakich chwilach mamy bardziej intensywne doświadczenie życia – czy wtedy, gdy w pełni zdumienia radujemy się własnym istnieniem lub istnieniem drugiego człowieka, czy też wtedy, gdy w cierpieniu albo zagrażającej życiu śmierci doświadczamy go „do żywego"?

Tak czy owak życie jest sprawą poważną. „W życiu – pisał Seneka – spotyka nas to samo, co w łaźni, w tłumie czy w drodze: coś tam będzie godziło w ciebie, coś cię spotka. Życie – to rzecz niełatwa. Wybrałeś się w długą drogę: musisz i pośliznąć się na niej, i potknąć się o coś, i upaść, i zmęczyć się, i głośno zawołać: »O śmierci!«, to jest udawać. W jednym miejscu towarzysza porzucisz, w drugim go pogrzebiesz, w trzecim będziesz go się obawiał. Poprzez takie oto przykrości musisz przebyć tę nierówną drogę"[7].

Szczególnie intensywne doświadczenie życia miała polska poetka, uczennica Romana Ingardena, Halina Poświatowska. Ciężko chora, bardzo wrażliwa, czuła, jak życie wymyka jej się z rąk:

---

[6] F. Nietzsche, *Wiedza radosna*, przeł. L. Staff, Warszawa–Kraków 1910–1911, s. 248–249.

[7] L. A. Seneka, *Listy moralne do Lucyliusza*, przeł. W. Kornatowski, Warszawa 1961, s. 566.

zawsze kiedy chcę żyć krzyczę
gdy życie odchodzi ode mnie
przywieram do niego
mówię – życie
nie odchodź jeszcze

jego ciepła ręka w mojej ręce
moje usta przy jego uchu
szepczę

życie
– jak gdyby życie było kochankiem
który chce odejść –

wieszam mu się na szyi
krzyczę

umrę jeśli odejdziesz[8].

Jeśli więc rozumiemy życie jako istnienie, to z pewnością jest ono jakąś syntezą pozytywnego i negatywnego doświadczenia, szczęścia i nieszczęścia.

Życia ludzkiego nie da się zatem ostatecznie sprowadzić do biologii, historii czy obyczajów. Ten właśnie indywidualny wymiar życia mamy na myśli, gdy mówimy, że „życie jest ciężkie", „życie jest ulotne jak chwila", „życie jest krótkie". Odwołujemy się wówczas do swoich własnych doświadczeń. Pisał George Herbert w wierszu *Życie*:

Składałem świeży bukiet przez poranek cały,
Jakbym chciał związać wstążką dni, co mi zostały,
I nurzać twarz w ich woni.

---

[8] H. Poświatowska, *Wiersze wybrane*, Kraków 1989, s. 166.

Lecz na pierwsze skinienie Czasu, już w południe,
Wymknęły mi się kwiaty, którem zbierał żmudnie,
I zwiędły w mojej dłoni.

Czuła dłoń, czuło serce ich ostatnią drogę;
Przyjąłem bez urazy łagodną przestrogę
Czasu, którego władza
Posępną gorycz śmierci w milszy smak obleka:
Pozwala duszy przeczuć rychły kres człowieka,
Lecz przeczucie osładza.

Żegnajcie kwiaty! Słodkie były wasze wonie;
Co zdobiło za życia, nawet i po zgonie
Do zasuszenia służy.
Podążam waszym śladem; na cóż próżne żale?
Jeśli woń życia będzie piękna, nie dbam wcale,
Czy przetrwa od was dłużej[9].

I jeszcze raz Poświatowska, na potwierdzenie zbieżności poetyckich doświadczeń (wiersz *Margerytki albo cykl biologiczny*):

nie miały więcej niż osiemnaście lat
siostra przyniosła je rano
jeszcze ślepe
mgłą ubrane

w południe
miały już lat trzydzieści
szeroko otwierały złote oczy
rozpostarte liście
z trudem mieściły się w wazonie

---

[9] G. Herbert, *Życie*, przeł. S. Barańczak, w: S. Barańczak, *Antologia angielskiej poezji metafizycznej XVII stulecia*, Warszawa 1991, s. 244.

przyszedł wieczór
i wyniosłam je do kubła na śmieci
malutkie pomarszczone[10].

SENS ŻYCIA

To, co jest wspólne wszystkim sposobom rozumienia ludzkiego życia, to fakt, że jest ono dla człowieka problematyczne. Człowiek nie pyta bowiem tylko o to, co to jest życie, ale przede wszystkim: jaki sens ma moje życie? Człowiek tak pyta, ponieważ życie nie jest dla niego samego przejrzyste, zrozumiałe. „Moje życie nie ma określonego znaczenia – pisał Kierkegaard. – Kiedy zastanawiam się nad różnymi jego epokami, wydaje mi się, że z moim życiem jest jak ze słowem *Schnur* w słowniku, które po pierwsze oznacza sznurek, po drugie synową. Brakuje tylko, aby jeszcze po trzecie znaczyło »wielbłąd«, a po czwarte »purchawka«"[11].

Problem sensu życia pojawia się wówczas, gdy zauważamy, że nasze życie upływa jedynie w nieustannej monotonii, w trosce o samo jego utrzymanie. Są takie chwile, w których to doświadczenie pojawia się w sposób szczególny. Kierat dnia powszedniego, otępiająca praca, bezsensowne problemy do rozwiązania. To wszystko zaczyna nas nudzić. Także otaczający nas ludzie stają się nudni. Wszystko, cośmy ciekawego widzieli, już im opowiedzieliśmy. Tego, co rzeczywiście istotne, powiedzieć już nie potrafimy. Niewiele też od nich oczekuje-

---

[10] H. Poświatowska, *Wiersze wybrane*, dz. cyt., s. 206.
[11] S. Kierkegaard, *Albo – albo*, dz. cyt., t. II, s. 38.

my. W sytuacjach smutnych udajemy smutek, w wesołych – radość, bo tak wypada. Wszystko staje się bezkształtne. Mamy tylko jedno pragnienie: „spać", niekoniecznie w sensie fizycznym, lecz – egzystencjalnym. O takim właśnie doświadczeniu pisał Albert Camus: „Czasem rozsypuje się dekoracja. Poranne wstawanie, tramwaj, cztery godziny w biurze albo w fabryce, posiłek, tramwaj, cztery godziny pracy, sen i poniedziałek, wtorek, środa, czwartek, piątek i sobota w tym samym rytmie: najczęściej tą drogą idzie się łatwo. Tylko że pewnego dnia pojawia się »dlaczego« i wszystko rozpoczyna się w znużeniu zabarwionym zdumieniem"[12]. To charakterystyczne, że problem sensu życia często odsłania się nam, kiedy w poniedziałek rano jedziemy do pracy. „Jeżeli sensem życia jest dążenie i działanie, jeżeli sprawny organizm pozwala na działania, a sprawny umysł organizuje dążenia – wtedy i w tej skali narasta wiele problemów filozofii poniedziałkowego poranka. I wtedy rodzą się hamletowskie pytania oraz pytania ostateczne – bo jeżeli nic nie tworzę, jeżeli nie działam na taką skalę i nie wyryję żadnego śladu na powierzchni ziemi, po której chodzę, to po co żyję? By wstawać rano, ubierać się, jeść i codziennie odbywać tę samą drogę do miejsca pracy, wykonywać te same czynności przez lata i wykonywać je tysiące razy, i tylko dziękować losowi, że nie pozwala mi w pełni spostrzegać tej przerażającej monotonii?"[13].

Pytamy o sens także wówczas, gdy widzimy, w jaki sposób inni radzą sobie z własnym życiem. Jak sprawnie potrafią się dostosować, wykorzystać każdą okazję. Wów-

---

[12] A. Camus, *Eseje*, przeł. J. Guze, Warszawa 1971, s. 100.
[13] J. Szczepański, *Sprawy ludzkie*, Warszawa 1980, s. 225.

czas rodzi się w nas pytanie, czy wybrać życie łatwe, czy uczciwe. Nie jest to nowy dylemat. Już Platon pytał, czy lepiej jest żyć życiem uczciwym, czy też kierować się jedynie opinią. „Kiedy się trafi zdolny, dorodny chłopak, który leci na wszystko, co się mówi, i wnioskuje z tego, co słyszy – jakim powinien by być i którędy iść, aby życie przeszedł jak najlepiej? Oczywiście, że gotów do siebie samego obrócić te słowa Pindara: »czy prostą drogą na wysoki mur, czy ukośnymi ścieżkami podchodząc« – samemu się zabezpieczywszy, jakoś tak życie przejdę. Mówią przecież, że jeśli będę uczciwy, ale sobie w dodatku nie wyrobię opinii, to nic mi z tego nie przyjdzie; powiadają, tylko trudy i kary oczywiste. A jeżeli będę nieuczciwy, a wyrobię sobie opinię nieskazitelną, to mi święte życie przepowiadają. Oczywiście, skoro mi mędrcy wykładają, że »pozór i prawdę przemaga« i decyduje o szczęściu, to rzucić się w tę stronę w ogóle. Zrobić sobie tylko fasadę, przybrać postawę, otoczyć się od frontu dekoracjami dzielności, a od arcymądrego Archilocha wziąć sobie lisa i ciągnąć go wciąż za sobą – chytrego i farbowanego”[14]. Wiele wieków później pisał Blaise Pascal: „Nie zadowalamy się życiem, jakie mamy w sobie i we własnej naszej istocie; chcemy żyć w pojęciu drugich życiem urojonym i silimy się dlatego na pokaz”[15]. A jeszcze później Georg Christoph Lichtenberg: „większość ludzi żyje bardziej według mody niż według rozumu”[16]. Nikt jednak nie wyraził tej prawdy tak celnie, jak Kierkegaard: „Zachowujesz się w życiu

---

[14] Platon, *Państwo*, przeł. W. Witwicki, Warszawa 1990, s. 96.

[15] B. Pascal, *Myśli*, przeł. T. Boy-Żeleński, Warszawa 1977, s. 77.

[16] G. Ch. Lichtenberg, *Schriften und Briefe*, München 1971, t. II, s. 137. Tu i dalej, o ile nie zaznaczono inaczej, przeł. T. Gadacz.

jak w tłoku: »dostajesz się do największego kłębowiska, patrzysz, jakby tu zostać przez innych wypchnięty do góry, tak, że mógłbyś się na nich oprzeć, a jeśli już jesteś na górze, starasz się, aby Ci było jak najwygodniej; podobnie też pozwalasz się unosić przez życie«. Z chwilą, z którą tłoku już nie ma, całe zdarzenie się kończy, a Ty stajesz ponownie na rogu ulicy i czekasz"[17]. Problem sensu życia pojawia się zatem wówczas, gdy pytamy, czy żyć powierzchownie, według mody, kierując się jedynie opinią innych, czy też żyć uczciwie swoim własnym, autentycznym życiem, ufając swemu rozumowi.

Problem sensu życia staje przed nami także wtedy, gdy nie umiemy zaakceptować własnego istnienia. Dzieje się tak dlatego, że albo nie chce się nam już żyć, albo nie wiemy, po co żyjemy, lub też wydaje się nam, że istnieć nie mamy już prawa – że „przystojniej byłoby nie żyć". Pisał Czesław Miłosz w wierszu *Miasto młodości*:

> Przystojniej byłoby nie żyć. A żyć nie jest przystojnie,
> Powiada ten, kto wrócił po bardzo wielu latach
> Do miasta swojej młodości. Nie było nikogo
> Z tych, którzy kiedyś chodzili tymi ulicami,
> I teraz nic nie mieli oprócz jego oczu.
> Potykając się, szedł i patrzył zamiast nich
> Na światło, które kochali, na bzy, które znów kwitły.
> Jego nogi, bądź co bądź, były doskonalsze
> Niż nogi bez istnienia...[18]

Takie doświadczenie „nieprzystojności istnienia" opisywał Emmanuel Lévinas, który przeciw całej tradycyj-

---

[17] S. Kierkegaard, *Albo – albo*, dz. cyt., t. II, s. 264.
[18] Cz. Miłosz, *Na brzegu rzeki*, Kraków 1994, s. 20.

nej metafizyce stawiał tezę, że istnienie jest złe i że należy je usprawiedliwić dobrem. Możemy się jedynie domyślać, jakie egzystencjalne doświadczenie tkwiło u podstaw tej tezy. Było to doświadczenie Holocaustu. Trudno jest pogodzić się z własnym istnieniem, kiedy prawie wszyscy najbliżsi nie przeżyli. Nie znajdujemy wówczas w samym istnieniu dostatecznej racji, by je usprawiedliwić. „Przystojniej byłoby nie żyć...".

Wreszcie pytanie o sens życia pojawia się wówczas, gdy doświadczamy cierpienia i zagrażającej śmierci.

Życie ludzkie jest więc problematyczne i dlatego człowiek pyta o jego sens. Być może samo życie polega na ciągłym poszukiwaniu sensu i realizacji życia zgodnie z jakimś sensem.

Co to jednak znaczy – znaleźć sens życia? Wydaje się, że gdy pytamy o sens, pytamy o trzy sprawy: po pierwsze, o jakikolwiek kierunek nadany życiu, o cel; po drugie, o radość szczęśliwych chwil; po trzecie, o dobro czy wartościowość życia; i wreszcie – o metafizyczną zrozumiałość życia (przy czym życie w każdym z tych przypadków oznacza pobyt człowieka na ziemi).

Co to znaczy – wieść życie sensowne, życie pełne sensu? Czy chodzi o to, by stawiać sobie ambitne cele i skutecznie do nich dążyć? Czy raczej o to, by smakować szczęśliwe chwile? Czy też może o to, by mieć świadomość dobra i wartościowości życia? Obrazując problem zawarty w tych pytaniach, szczególnie w dwóch pierwszych, Pierre Teilhard de Chardin posłużył się przykładem, który przemawia do wyobraźni. Postawił przed naszymi oczyma grupę turystów, którzy pięknego dnia o poranku wyruszają ze schroniska, by udać się w drogę do odległego, wysokiego szczytu. Jedni zaczynają szybko żałować, że w ogóle wyszli ze schroniska. Całe przedsięwzięcie wydaje im się niewarte trudów, dlatego postanawiają zawrócić. Drudzy wytrwale idą dalej. Cieszą się słońcem, sycą pięknymi widokami i w końcu, właśnie dla wspaniałych przeżyć, postanawiają zatrzymać się gdzieś w drodze i zrezygnować z dalszej wędrówki. Inni wreszcie, prawdziwi turyści, nie odrywając oczu od szczytu, idą wciąż naprzód. Te trzy grupy symbolizują, według Teilharda de Chardina, znużonych życiem, poszukiwaczy przyjemności życia i żarliwie realizujących istotne życiowe cele.

Oto mamy najpierw ludzi znużonych życiem. Człowiek przychodzi na świat bez własnej woli. Życie jest czymś, co już zastaje i do czego musi się jakoś odnieść. Niektórzy ludzie są jednak zbyt wielkimi pesymistami w odniesieniu do swojego życia, by w ogóle zacząć nadawać mu sens. Pisał Epikur: „ten, kto nawołuje, by młodzieniec żył pięknie, a starzec pięknie życie zakończył, jest naiwny nie tylko dlatego, że życie jest zawsze pożądane zarówno przez jednych, jak i drugich, lecz raczej dlatego, że troska o życie piękne nie różni się niczym od troski o jego piękny koniec. Znacznie gorszy jest jednak ten, kto powiedział, że lepiej jest się nie urodzić”[19]. Pozostawmy jednak ten problem na uboczu. Dotyka on bowiem sensu, który człowiek powinien odkryć – metafizycznego sensu życia.

Problematyczna jest natomiast alternatywa między drugą i trzecią postawą, którą opisał Teilhard de Chardin. Czy

---

[19] Cyt. za: Diogenes Laertios, *Żywoty i poglądy słynnych filozofów*, przekład zbiorowy, Warszawa 1968, s. 645.

żyć to znaczy smakować życie, nie troszcząc się zbytnio o osiągnięcie jakichś życiowych celów, czy też osiągać te cele, zatracając jednocześnie smak życia? Czy taka alternatywa musi być wykluczająca? Przyjrzyjmy się najpierw pierwszej skrajnej postawie, według której życie polega na realizacji życiowych celów i dążeń. Człowiek wciąż wychylony jest wprzód, ku przyszłości, do czegoś dąży. Nawet kiedy osiągnie cel, nie ustaje w dążeniu. Albo też, osiągnąwszy cel, zaczyna doświadczać udręki. Ktoś na przykład zarabia pieniądze, ale już nie ma czasu, by cieszyć się możliwościami, jakie otwiera przed nim ich posiadanie. Ktoś stał się wziętym adwokatem, ale nie może się opędzić od klientów. Ktoś inny zapragnął władzy i zdobył ją, ale wciąż wydaje mu się, że ma jej za mało. I nagle wszyscy uświadamiają sobie, że dążyli do zapewnienia sobie warunków życia, ale nie mają już czasu, żeby żyć. Lub też mają go tylko tyle, by skonsumowawszy to, co wytworzyli, tworzyć wciąż nowe warunki życia. Między czasem przeznaczonym na tworzenie warunków życia a spożywaniem tego, co jest potrzebne do ich tworzenia, brak jest jakiejkolwiek przerwy. Seneka pisał o takich enigmatycznie: „by mogli żyć lepiej, kosztem życia urządzają swe życie”[20]. Wciąż je urządzają, ale nie mają już czasu, by żyć. Umyka im szczęście, o które zabiegają. Dom nie jest dla nich miejscem odpoczynku, pielęgnowania więzi czy estetycznych doświadczeń, lecz miejscem snu i jedzenia, koniecznych, by nabrać sił do pracy; z kolei praca jest tylko po to, by było co jeść i gdzie spać. Powstaje piekielne koło, w którym nie ma przerwy.

---

[20] L. A. Seneka, *Dialogi*, dz. cyt., s. 149.

Jest to oczywiście jakiś sposób na życie, bardziej jednak, by spędzić życie, tak jak spędza się machnięciem ręki natrętną muchę z ramienia, niż żeby żyć. Ktoś powie, że to także jest życie. Owszem, ale czym jest takie życie w porównaniu z życiem, które smakuje samo siebie. Oto latami przechodzimy w pośpiechu tymi samymi ulicami i być może któregoś dnia podnosimy głowę i zauważamy wspaniałe detale architektoniczne na fasadzie domu, na którą dotąd, przez tyle lat nie zwracaliśmy uwagi. Zmęczeni wybieramy się na urlop do Rzymu i w pośpiechu zaliczamy kolejne zabytki. Czymże to jednak jest w porównaniu z chwilami wypoczynku przy lampce dobrego wina na placu przed Panteonem w jesienne popołudnie, kiedy możemy leniwie przyglądać się gołębiom i refleksom słońca tańczącym na kamieniach?

Krytykami poszukiwania sensu w ciągle realizowanych celach, w nieustannej gonitwie za życiem byli ci, którzy doświadczyli jego smaku. Wspomnijmy tu dwóch takich myślicieli: Kierkegaarda i Nietzschego. „Ze wszystkich śmiesznych rzeczy najśmieszniejszą wydaje mi się być zajętym w światowych sprawach – pisał Kierkegaard. – Śmieszny jest człowiek, który śpiesznie je i śpiesznie pracuje. Dlatego, kiedy widzę muchę, która siada na nosie takiego człowieka w najpoważniejszej chwili, kiedy widzę, jak ochlapując go przejeżdża powóz, któremu jeszcze bardziej się śpieszy; kiedy zwodzony most unosi się przed nim, kiedy spada mu na głowę dachówka i zabija go, śmieję się z całego serca. A któż mógłby powstrzymać się tu od śmiechu? Za czymże gonią ci szybkobiegacze? Czy niepodobni są do tej kobiety, co przerażona domowym pożarem wyniosła z domu pogrzebacz? Cóż więcej wynoszą oni ze wspaniałego pożaru życia?”[21]. Z kolei Nietzsche uczynił następujące spostrzeżenie: „Życie składa się z rzadkich oddzielnych momentów najwyższego znaczenia i nieskończonej liczby przerw, w których w najlepszym razie unoszą się wkoło nas cienie owych momentów. Miłość, wiosna, każda piękna melodya, góry, księżyc, morze – wszystko przemawia całkowicie do serca raz tylko: jeżeli w ogóle kiedykolwiek dochodzi całkowicie do słowa. Albowiem wielu ludzi zgoła nie ma owych momentów, i sami są przerwami i pauzami w symfonii życia prawdziwego”[22].

Takie życie, życie przeżywane i smakowane – piękno przyrody, spacer po łąkach, oddech świeżego górskiego powietrza – odkrywamy najczęściej wskutek zmęczenia dotychczasowym życiem, które pędzi i wciąż nam umyka. By uchwycić życie, nie należy go gonić, ale się zatrzymać. Zmieniamy postawę dopiero pod wpływem choroby, załamania, utraty bliskich. Nagle odkrywamy, że nie żyliśmy dla siebie.

Zwolennicy takiego pojmowania życia uważają, że człowiek osiąga w życiu sens nie tyle przez cele, które w danej chwili realizuje, co raczej przez szczęśliwe chwile, które smakuje. Takie przekonanie kojarzy się nam oczywiście z epikureizmem. Jest to jednak daleko idące uproszczenie. „Życie, by miało wartość czy sens, nie potrzebuje żadnej konkretnej treści: ascetyzmu czy kultury – pisał José Ortega y Gasset. – Podobnie jak sprawiedli-

[21] S. Kierkegaard, *Albo – albo*, dz. cyt., t. I, s. 26.

[22] F. Nietzsche, *Ludzkie, arcyludzkie*, przeł. K. Drzewiecki, Warszawa–Kraków 1910, s. 422.

wość, piękno czy szczęśliwość, życie ma wartość samo przez się. Goethe był chyba pierwszym człowiekiem jasno zdającym sobie z tego sprawę, gdyż podsumowując całe swoje życie stwierdził: »Im bardziej się nad tym zastanawiam, tym wyraźniej widzę, że życie jest tylko po to, by je przeżywać«. Samowystarczalność fenomenu witalnego w świecie wartości uwalnia życie od serwilizmu, który mu błędnie narzucano, utrzymując, że staje się godne szacunku jedynie służąc czemuś innemu. (...)

Życie w starożytności było bez wątpienia mniej przesiąknięte wartościami transwitalnymi – religijnymi czy kulturowymi – niż epoka chrześcijańska oraz jej nowożytne następczynie. Przeciętny Grek czy Rzymianin znajduje się znacznie bliżej obnażonej zwierzęcości niż chrześcijanin czy »progresista« naszych czasów. I nawet św. Augustyn, który przez wiele lat żył wśród pogan, i który bardzo długo widział świat oczyma »starożytnych«, nie potrafił zrezygnować z głębokiego szacunku dla tych zwierzęcych wartości Grecji czy Rzymu. W świetle nowej wiary ich życie bez Boga musiało mu się wydawać bezcelowe i puste. Jednakże jego intuicja w sposób tak oczywisty potwierdzała witalny urok pogaństwa, że swój dla niego szacunek uwzględniał w dość dwuznacznym stwierdzeniu: *Virtutes ethnicorum splendida vita* – »Cnoty pogan są znakomitymi wadami«. Wadami? A zatem mają wartość negatywną. Znakomitymi? A więc są wartościami pozytywnymi. Tak właśnie wewnętrznie sprzeczna ocena stanowi maksimum naszych możliwości wobec życia. Jego wszechpotężny urok zawładnął naszą wrażliwością, lecz z drugiej strony akceptacja życia ma dla nas posmak grzechu. Jednakże dlaczego nie uznajemy za grzech stwierdzenia, iż Słońce świeci, a przeciwnie, za taki uważamy podejście do życia jako wspaniałej rzeczywistości, którą wypełniają po brzegi, niczym perły statki z Ofiru, niezależne od niczego wartości? Najistotniejszą misją naszych czasów jest zwalczenie tej głęboko zakorzenionej hipokrytycznej postawy wobec życia"[23].

Ortega, podobnie jak Nietzsche, oskarża tu chrześcijaństwo, które sensu życia szukało często jedynie poza życiem, w transcendentnych wobec życia celach dostrzegając warunek jego usprawiedliwienia. Tymczasem wydaje się, że życia nie trzeba usprawiedliwiać, że sens życia może i powinien polegać na jego przeżywaniu. Do takiej postawy zachęcał Józef Maria Bocheński w *Podręczniku mądrości tego świata*: „Używaj chwili. Pogwałcenie tego przykazania prowadzi do zjawiska zwanego uczenie »mediatyzacją«, to jest do pojmowania wszystkiego bez wyjątku jako środka do celu. Na przykład, budzę się i myślę o myciu się jako o czymś koniecznym, aby pójść na dworzec, aby pojechać do Berna; pojechać tam, aby spotkać przyjaciela; spotkać go, aby prosić o pomoc w pewnej pracy; prosić o nią, aby... W ten sposób całe życie, albo prawie całe, przechodzi zmediatyzowane. Taka mediatyzacja pozbawia życie ludzkie sensu. Jeśli łańcuch celów nie ma być pozbawiony sensu przez śmierć, musi być w życiu miejsce na używanie, na rozkoszowanie się tym, co jest, czego zażywamy bez żadnego dążenia"[24].

Gdzie zatem tkwi sens życia: czy w realizacji celów, czy w smakowaniu chwil? Wydaje się, że prawda tkwi

[23] J. Ortega y Gasset, *Po co wracamy do filozofii?*, przekład zbiorowy, Warszawa 1992, s. 78–80.

[24] J. M. Bocheński, *Podręcznik mądrości tego świata*, Kraków 1992, s. 23.

pośrodku. Nie można tak podążać za życiowymi celami, by gubić życie, ale nie można też jedynie smakować życia, do niczego zupełnie nie dążąc, nie stawiając sobie żadnych życiowych celów i nie realizując żadnych zamierzeń. Myjemy się nie tylko dlatego, że mamy upodobanie w myciu, ale także żeby być czystym. Jemy nie tylko dla smaku, ale by zaspokoić głód i zregenerować organizm. Budujemy dom nie tylko po to, by w samym budowaniu mieć radość, ale by w nim mieszkać. Zresztą sam Bocheński, pisząc o sensie życia, podkreślał alternatywnie jedno i drugie. „Życie danego człowieka ma sens wtedy i tylko wtedy, kiedy albo istnieje cel, do którego on w tej chwili dąży, albo on tej chwili używa”[25].

Wydaje się zatem, że prawda tkwi pośrodku. Jest tak jednak tylko pozornie. Gdyż istnieje jeszcze inny wymiar życia, głębszy niż dążenie do celów i przeżywanie chwil. Tym głębszym wymiarem życia jest dobro. Jeśli dobro jest żywiołem życia człowieka, to jego życie ma sens, gdyż mają sens zarówno cele, do których zmierza, jak i chwile, które przeżywa. Sens życia tkwi w dobru, które czynimy, a nie w tym, ile osiągniemy celów lub ile chwil szczęśliwych przeżyjemy. Sens dążenia do celu, jak i przeżywania chwil życia tkwi bowiem w dobru.

Uparte poszukiwanie sensu życia może być jednak także pułapką. Gdyż z sensem życia jest podobnie jak ze szczęściem. Stanowi ono niejako uboczny skutek naszych dążeń i przeżyć. Natomiast dla niektórych ludzi poszukiwanie sensu staje się sensem ich życia. „Nawet ścisłe rozmyślanie o życiu i usiłowanie, aby dokładnie ustalić

---

[25] Tenże, *Sens życia*, Kraków 1993, s. 13.

jego trafne pojęcie, byłoby przecenianiem go, gdyby dla pewnych usposobień zajęcie to nie było jednym z najbardziej interesujących, na które życie może być obrócone"[26].

ŻYCIE WOBEC CZASU

Życie pełne sensu stanowi pierwszą, najważniejszą z reguł umiejętnego życia. Kolejną regułą życia umiejętnego, obok nadawania życiu sensu, jest życie chwilą bieżącą. Stajemy tu wobec problemu związku między życiem i czasem.

Życia nie mierzy się liczbą przeżytych lat, ale tym, co z życiem czynimy. „Z życiem jest tak, jak z bajką: zależy nie na tym, czy długo trwa, lecz na tym, czy pięknie jest ułożona"[27]. „Wcześnie osiągnąwszy doskonałość przeżył czasów wiele" – czytamy w Księdze Mądrości (Mdr 4,13). Pośredni komentarz do tych słów znajdujemy u Seneki: „Nie za mało mamy czasu, ale za wiele tracimy. Dość długie jest życie i w obfitej ilości nam dane do wypełnienia naszego najważniejszego zadania, jeżeli z całego uczynimy należyty użytek, ale jeżeli upływa w zbytkach i gnuśności, a nie zużywa się na żadne szlachetne dzieło, wtedy dopiero w obliczu ostatniej konieczności zauważymy, że życie, którego upływania nie spostrzegliśmy, już upłynęło. Rzecz ma się następująco: nie otrzymaliśmy życia krótkiego, ale czynimy je krótkim, pod względem zaś jego posiadania jesteśmy nie nędzarzami, ale marnotrawca-

---

[26] L. A. Seneka, *Myśli*, dz. cyt., s. 487.

[27] Tenże, *Listy moralne do Lucyliusza*, dz. cyt., s. 315.

mi. I podobnie jak ogromne i królewskie bogactwa, gdy tylko przejdą w posiadanie złego właściciela, natychmiast się rozpraszają, a przeciwnie – nawet skromne majętności, jeżeli są powierzone dobremu gospodarzowi, powiększają się przez należyty użytek, tak samo wiek życia naszego rozciąga się daleko, jeżeli ktoś dobrze nim rozporządza"[28].

Wyróżniamy trzy dziedziny czasu, a w związku z tym trzy relacje czasu do życia. Ten czas, w którym żyjemy, wydaje się krótki. Ten, który nadejdzie, jest co najmniej wątpliwy. Najpewniejszy jest ten, który minął, ale ma on jedną wadę – jest nieodwracalny. Niczego w nim nie można zmienić. Ci, którzy planują odległą przyszłość, mogą utracić teraźniejszość, podobnie jak mogą utracić ją także ci, którzy żyją jedynie wspomnieniami przeszłości. Dla jednych nic istotnego w życiu jeszcze nie nadeszło, dlatego właściwie jeszcze nie żyją. Dla drugich wszystko się już skończyło, dlatego właściwie już nie żyją. Żyją naprawdę ci, którzy żyją teraźniejszością. Choć więc nie można żyć, nie opierając się na przeszłości, odrzucając pamięć i nie pokładając nadziei w przyszłości, to jednak linia życia biegnie środkiem teraźniejszości.

Ze względu na to, że nie mamy wpływu ani na przyszłość, ani na przeszłość, żyć możemy tylko chwilą teraźniejszą. „Co szczęśliwy los zesłał ci w darze – poucza Seneka – posiadaj w ten sposób, jak gdyby nie miało chwilowo swojego właściciela. Z pośpiechem czerpcie rodzicielskie radości ze swych dzieci i nawzajem sami czyńcie radość swym dzieciom; bez zwlekania, doraźnie chłoń-

[28] Tenże, *Dialogi*, dz. cyt., s. 133–134.

cie wszelką pociechę. Żadnej gwarancji nie macie na noc dzisiejszą – zbyt długie odroczenie wam daję! – żadnej gwarancji nie macie na bieżącą godzinę! Trzeba się śpieszyć, od tyłu skrada się śmierć. Już wkrótce zostanie rozproszone to towarzystwo, już wkrótce podniesie się krzyk i stargane zostaną więzy zażyłych stosunków. Śmierć jest grabieżą wszechrzeczy. Czemuż więc, nieszczęśni, nie potraficie urządzić sobie życia w przelocie!"[29] Seneka uczy zatem dwóch istotnych rzeczy: kto chce osiągnąć jutrzejszy cel, musi realizować go teraz; kto chce przeżyć swe życie umiejętnie, musi przeżywać je obecnie.

Podobnego zdania był ironiczny Lew Szestow: „Mądry i trzeźwy chłopczyk, co przywykł dowierzać zdrowemu rozsądkowi, czytając w książce dla dzieci opis katastrofy, w której rozbił się okręt, a która się zdarzyła akurat wtedy, gdy pasażerowie jedli deser, bardzo się zdziwił, że wszyscy (nawet kobiety i dzieci, które nie mogły ratować okrętu) rzucili jedzenie i miotali się po pokładzie, wrzeszcząc i szlochając. Po co szlochać, po co się miotać, po co się bez sensu denerwować? Marynarze znają swój fach i zrobią wszystko, co od nich zależy. A jeżeli sądzone jest zginąć – tak czy siak zginiesz, czy się będziesz denerwował, czy nie. Chłopczykowi wydawało się, że gdyby był na okręcie, nie odszedłby od stołu i jadłby słodycze do ostatniej chwili. Trzeba oddać sprawiedliwość jego trzeźwemu i bezbłędnie prawidłowemu wnioskowi. Zostało kilka minut życia – czyż nie lepiej wykorzystać je najprzyjemniej jak się da? Logiczny łańcuch rozumowania idealny, sam Arystoteles mógłby zaświadczyć. I w żaden

[29] Tamże, s. 416–417.

sposób nie można było udowodnić chłopczykowi, że też byłby porzucił deser (choćby to był nawet jego najulubieńszy deser) i razem z pozostałymi pasażerami zacząłby bez sensu i celu miotać się po okręcie. Stąd morał: nie przewiduj przyszłości. Dziś rządzi tobą zdrowy rozsądek i słodycze są dla ciebie najwyższym prawem. Ale jutro przepędzisz i zdrowy, i rozsądek, zaprzyjaźnisz się z niedorzecznością i chaosem, a być może nawet piołun polubisz. Czyż nie tak?"[30].

Podsumowując tę regułę życiowej umiejętności, możemy powiedzieć, że nikt nie wie, co się może zdarzyć jutro, dlatego największym utrudnieniem życia jest takie oczekiwanie na dzień jutrzejszy, które powoduje utratę dnia dzisiejszego.

Życie ma swoje czasowe etapy. Najdłuższa i najszczęśliwsza jest pierwsza ćwiartka życia. W ostatniej fazie dni skracają się niczym jesienią. Artur Schopenhauer porównywał poszczególne okresy życia do pór roku. Wyróżnił trzy dziesiątki lat między 20 i 50 rokiem; odpowiadają one wiośnie, latu i jesieni. Najbardziej intensywna jest pierwsza część życia, do 36 roku. Człowiek żyje wówczas jak z odsetek: „co dziś się wyda, jutro wraca". Później żyje jak rentier, coraz bardziej uszczuplający swój życiowy kapitał. „Na początku nie dostrzega się tego wcale: wydatek w przeważającej części odtwarza się samorzutnie, a niewielki deficyt uchodzi uwadze. Lecz po trochu rośnie, staje się widoczny, wzrasta też z dnia na dzień coraz szybciej; niedobór staje się coraz większy, każde »dziś«

---

[30] L. Szestow, *Apoteoza nieoczywistości*, przeł. N. Karsov i N. Szechter, Londyn 1983, s. 135.

jest biedniejsze od »wczoraj«, bez nadziei na zahamowanie procesu. Podobnie jak spadanie ciał, ubytek następuje coraz szybciej, aż wreszcie nic już nie zostaje. Najsmutniejszy przypadek ma miejsce, kiedy w rzeczywistości rozpływają się równocześnie obie porównywane tu wielkości – siły życiowe i majątek; dlatego właśnie na starość kocha się bardziej swoją własność. – Natomiast z początku, aż do pełnoletności lub nawet nieco dłużej, przypominamy pod względem sił życiowych ludzi, którzy z odsetek jeszcze coś odkładają; nie tylko wydatki samorzutnie się rekompensują, ale jeszcze kapitał rośnie"[31].

Nietzsche natomiast proponował inny podział. „Porównanie czterech epok życia z czterema porami roku jest czcigodnem bzdurstwem. Ani pierwsze, ani ostatnie lat dwadzieścia nie odpowiadają porze roku: przypuszczając, że nie zadowolimy się przy porównywaniu z białością włosów i śniegu, lub inną igraszką kolorów. Owe pierwsze lat dwadzieścia są przygotowaniem do życia w ogóle, na cały wiek życia, jako rodzaj długiego nowego roku; a ostatnie lat dwadzieścia są przeglądem, wcieleniem, uporządkowaniem i zharmonizowaniem tego wszystkiego, cośmy przedtem przeżyli: jak to się czyni na małą skalę z każdym rokiem ubiegłym w sylwestra. Pośrodku istotnie jednak znajduje się okres, nasuwający porównanie z porami roku: okres czasu od dwudziestego do pięćdziesiątego roku (licząc z gruba lat dziesiątkami, podczas kiedy samo przez się rozumie się, że każdy te grube zarysy powinien według własnego doświadczenia dla siebie

[31] A. Schopenhauer, *Aforyzmy o mądrości życia*, przeł. J. Garewicz, Warszawa 1974, s. 263.

wysubtelnić). Owe trzy dziesiątki lat odpowiadają trzem porom roku: latu, wiośnie i jesieni – zimy w życiu ludzkim nie bywa, chyba że się chce nazwać porą zimową niestety często wplatające się w nie ostre, zimne, samotne, beznadziejne, bezpłodne czasy choroby. Trzeci dziesiątek lat: skwarny, uciążliwy, burzliwy, bujnie osypany kwieciem, nużący; lata, w których się błogosławi pod wieczór dzień skończony i czoło przytem ściera: lata, kiedy praca wydaje się nam ciężką, lecz konieczną – ten trzeci dziesiątek lat jest latem życia. Natomiast czwarty jest jego wiosną: powietrze już to za gorące, już to za zimne, zawsze niespokojne i podniecające: wszędzie tryskają soki, pełno kwiatów i pełno woni: mnóstwo czarujących poranków i nocy: praca, do której budzi nas śpiew słowika, prawdziwie praca według serca, rodzaj rozkoszowania się własną świeżością, krzepi przedsmakiem spełnionych nadziei. W końcu piąty dziesiątek życia: tajemniczy, jak wszystko, co się znajduje w spokoju; podobny do wysokiego, obszernego płaskowzgórza, po którym przebiega wiatr chłodny; z jasnem, bezchmurnem niebem ponad tem, dniem i nocą spoglądającem zawsze z jednakową łagodnością: czas sprzętu i serdecznej pogody – jest to jesień życia”[32].

Jakkolwiek by jednak nie dzielić życia na epoki, musimy mieć świadomość niezamienialności tych epok. Z tą niezamienialnością związana jest kolejna reguła umiejętnego życia. W każdym okresie życie człowieka ma inne, właściwe sobie cechy: „jako dziecko jest nieporadny,

[32] F. Nietzsche, *Wędrowiec i jego cień*, przeł. K. Drzewiecki, Kraków–Warszawa 1909–1910, s. 384–385.

w młodości – śmiały i porywczy, w wieku męskim nabiera już powagi, na starość staje się w pełni dojrzały; z tych naturalnych właściwości każdego okresu życia winno się korzystać w swoim czasie"[33] – pisał Cyceron. Dlatego każdy okres trzeba odpowiednio wykorzystać. Nieumiejętnie żyje ten, kto w dzieciństwie jest starcem, w starości młodzieńcem, w dojrzałym wieku dzieckiem.

Kolejna reguła umiejętnego życia związana jest z właściwą porą. Żyjemy tylko raz i tylko raz się mylimy. Wszystko w życiu ma swoją właściwą porę. Umiejętność życia polega na rozeznaniu tej pory. Nietzsche uczył nawet, by we właściwej porze umierać. „Wielu umiera za późno, niektórzy umierają zbyt wcześnie. Obco brzmi jeszcze nauka: »umieraj w porę!«. Umieraj w porę; tak poucza Zaratustra. Oczywiście, kto nigdy w porę nie żył, jakżeby ten miał w porę umrzeć? Oby raczej nie był się narodził! – Tak radzę zbytecznym"[34]. Tę regułę umiejętnego życia można by zatem sformułować następująco: umiej rozeznać właściwą porę życiowych decyzji, szczególnie porę odejścia.

Następna reguła umiejętnego życia to gotowość do ciągłego zaczynania na nowo. Nie mam tu oczywiście na myśli tych, którzy niczego nie doprowadzają do końca; życie bowiem jest całością i jako całość powinno zostać zamknięte. Jednak dynamika życia, jego żywotność wymaga, aby nigdy nie czuć się zbyt starym, by zacząć coś

---

[33] Cyceron, *Katon Starszy o starości*, przeł. W. Klimas, Kraków 1995, s. 59–60.

[34] F. Nietzsche, *Tako rzecze Zaratustra*, przeł. W. Berent, Warszawa–Kraków 1913, s. 95.

od nowa. Niektórzy nie chcą niczego zaczynać, gdyż umarli już w środku życia. Inni zaczynają żyć umiejętnie dopiero wtedy, gdy trzeba już życie zakończyć.

PLANOWANIE ŻYCIA

Każdy człowiek ma w życiu swoje własne miejsce. Niektórzy znają je z góry. W dzieciństwie już „wiedzą", kim będą jako ludzie dorośli. Inni, już jako ludzie dorośli, nadal nie wiedzą jeszcze, gdzie jest ich miejsce. Najtrudniejsze jest zatem to, co wydaje się łatwe. Każdy jednak powinien poznać swoje własne życiowe powołanie.

Aby umiejętnie rozeznać swoje miejsce, poznać prawdę własnego życia, trzeba życie przeżywać. Życia nie można się nauczyć z książki. „Wszystkie języki i literatury są przepełnione ogólnymi uwagami o życiu, traktującymi o jego istocie i o tym, jak nim pokierować – uwagami, które każdy zna, powtarza lub słucha z uznaniem, które są przyjmowane jako truizmy, lecz których znaczenia większość ludzi dowiaduje się naprawdę dopiero wtedy, gdy doświadczenie, zazwyczaj bolesne, przeobraziło je dla nich w rzeczywistość"[35] – pisał John Stuart Mill. Prawda o własnym życiu nie jest ogólną prawdą, którą możemy w pełni poznać z książek i przekazać ją innym. Owszem, wiele możemy się w ten sposób nauczyć, ale to, czym jest przyjaźń, miłość, rozpacz, nadzieja, cierpienie, śmierć ukochanych, możemy zrozumieć tylko wówczas,

[35] J. S. Mill, *Utylitaryzm. O wolności*, przeł. A. Kurlandzka, Warszawa 1959, s. 177–178.

gdy sami osobiście je przeżyjemy. Dlatego ta reguła umiejętności życia mówi, że umiejętnego życia nie można innych nauczyć poprzez teoretyczny przekaz. Życia uczymy się sami, dorastając do niego. „Dochodzimy jako zupełni nowicjusze do każdej epoki życia – pisał F. La Rochefoucauld – i często, mimo liczby lat, brak nam doświadczenia”[36].

Z tą regułą umiejętnego życia związana jest kolejna. Niektórzy ludzie są znakomicie zorganizowani życiowo. Wiedzą, czego chcą od życia. Skutecznie realizują swoje zamierzenia. Wiedzą, co będą robili nie tylko następnego dnia, gdy będzie dobra pogoda, ale także w najbliższej przyszłości. Poziom ich zorganizowania jest czasami śmieszny. Inni niczego nie planują, żyją z dnia na dzień. Marzą o szczęśliwej przyszłości, ale nie wiedzą, co będą robić nie tylko za rok, ale nawet jutro. „Niewielu jest takich, którzy układają swe życie i sprawy w sposób celowy. Wszyscy inni nie idą, lecz są unoszeni niby rzeczy płynące w rzece. Jedne z nich zatrzymuje spokojniejsza fala i łagodnie zabiera ze sobą, drugie porywa silniejszy prąd, inne znowu, najbliższe brzegu, zostają tam, kiedy słabnie nurt, inne wreszcie rwący prąd unosi na morze. Dlatego musimy się zdecydować, czego chcemy, i trzymać się tego wytrwale”[37] – pisał Seneka.

Życie umiejętne nie przybiera ani jednej, ani drugiej formy. Georg Simmel przyrównał życie do gry w szachy. Gra w szachy byłaby niemożliwa zarówno wtedy, gdyby

---

[36] F. La Rochefoucauld, *Maksymy i rozważania moralne*, przeł. T. Boy-Żeleński, Warszawa 1996, s. 93.

[37] L. A. Seneka, *Listy moralne do Lucyliusza*, dz. cyt., s. 43.

nie dało się zaplanować żadnego posunięcia, ani przewidzieć skutków kilku najbliższych ruchów, jak i wówczas, gdyby dało się policzyć wszystko do końca. Podobnie jest z życiem, które byłoby równie niemożliwe wówczas, gdyby dało się w nim wszystko zaplanować i przewidzieć skutki każdej życiowej decyzji, jak i wtedy, gdyby nie dało się niczego zaplanować ani przewidzieć.

By wszystkie te reguły życia potraktować serio, powinniśmy umieć spojrzeć na poszczególne okresy życia jako na całości, ogarnąć je spojrzeniem, i wreszcie ujrzeć życie jako całość. Postrzegamy je jako całość dopiero przy końcu jakiegoś okresu. Człowiek, snując swe życie z godziny na godzinę, często nie jest świadomy tej całości, podobnie jak robotnik, który wznosząc budowlę, nie zna planu. Trzeba więc czasami spojrzeć z dystansu na kształtujący się zarys życia. Dopiero z perspektywy tego spojrzenia, jak z góry, ukazują się związki między naszymi czynami, dziełami, pragnieniami, zamierzeniami. Dopóki w nich tkwimy, nie dostrzegamy ich. Epokę życia można ocenić dopiero u jej kresu. Także życie można w pełni ocenić dopiero u jego kresu ostatecznego. Dopiero śmierć czyni z rozproszonego, rozbieganego, poplątanego życia całość. To od śmierci życie otrzymuje całą prostotę, do jakiej jest zdolne. To śmierć uczy życia umiejętnego.

LOS

> Los musi odnieść nad nami zwycięstwo, jeśli my sami nie wywalczymy całkowitego zwycięstwa nad losem[1].

Czym jest ludzki los, los człowieka? Co to znaczy, że człowiekowi przypada w udziale taki lub inny los? Dlaczego tylko w stosunku do człowieka mówimy o losie? Zwierzęta przecież także istnieją, ale tylko człowiek ma los czy też – podlega losowi. Odpowiedzi na te i im podobne pytania posłużą nam do wydobycia losu z ukrywających go mroków, do zrozumienia i rozświetlenia jego tajemnicy.

Człowieczy los jest naszym wspólnym losem: każdy z nas ma bowiem udział w ludzkim losie jako pewnym ogólnym doświadczeniu. Prócz tego jest także naszym losem indywidualnym. Interesuje nas tu jednak najpierw los człowieka jako takiego. Jest wiele takich słów, które same w sobie niosą nie tylko pewien sens, znaczenie, ale wywołują też określoną atmosferę i skojarzenia. Słowo „los" zawiera w sobie powagę ludzkiej egzystencji. Kiedy mówimy: „taki już jest ludzki los" pobrzmiewa w tym stwierdzeniu przygodność i przemijalność. Los ludzki jest zły, marny, choć bywa czasami szczęśliwy.

Jest to także nasz indywidualny los. Nikt z nas bowiem nie wie, dlaczego coś mu się przydarza. Wyszystko wydaje

---

[1] L. A. Seneka, *Dialogi*, dz. cyt., s. 572–573.

się być przypadkiem. Los jest nieprzewidywalny. Zmienne są jego koleje. Czasami jednak los uśmiechnie się do nas. Dziwnym losu zdarzeniem zmienia się nasza sytuacja.

LOS CZŁOWIEKA

Czym jest los człowieka? Chciałbym tu wprowadzić pojęcie „sytuacji". Jaka jest sytuacja człowieka? Wydaje się, że wyznacza ją przede wszystkim przygodność. O przygodności człowieka pisał Psalmista: „Wspomniał, iżechmy proch: człowiek, jako trawa dni jego, jako kwiat polny, tak on okwitnie. Abowiem gdy nań wiatr powienie, tedy się nie ostoi i więcej nie pozna miejsca swego"[2]. Później starożytny stoik Seneka pytał: „Czym jest człowiek? Jest to naczynie, które pęka od pierwszego lepszego wstrząsu, od pierwszego lepszego poruszenia. Aby cię rozbić w kawałki, nie potrzeba wielkiej burzy: każdy cios zdruzgota cię doszczętnie. Czym jest człowiek? Słabym i kruchym ciałem, nagim, bezbronnym z samej natury, potrzebującym cudzej pomocy, narażonym na wszelkie zniewagi Losu, a chociaż ma dobrze wyćwiczone mięśnie, staje się dla każdego dzikiego zwierzęcia łupem, dla każdego ofiarą. Ciało to utkane jest ze słabych i nietrwałych elementów, piękne tylko w swej zewnętrznej formie, niewytrzymałe na mróz, upał, trud, a z drugiej strony niszczeje ono nawet wskutek lenistwa i bezczynności, lęka się swego własnego pożywienia, raz bowiem ginie z jego

---

[2] Ps 103, 5 w przekładzie J. Wujka.

braku, innym razem pęka z nadmiaru, ileż obawy i troski wywołuje opieka nad nim, niepewnie i z trudem trzyma się w nim dusza, którą wygania z niego nagły strach lub dźwięk niespodziewanie usłyszany i przykry dla uszu, jest ono wiecznym źródłem zmartwień dla siebie samego, jest pełne wad i bezużyteczne. Czy można się dziwić, że podlega śmierci, do której wystarczy jedno zachłyśnięcie się? Czy potrzeba wielkiego wysiłku, aby je zniszczyć? Zabójczy jest dla niego i zapach, i smak, zmęczenie i brak snu, napój i pożywienie, i rzeczy, bez których nie może żyć. Dokądkolwiek się uda, zaraz się staje świadom własnej słabości, nie każdy klimat dobrze znosi. Wskutek zmiany wody i powiewu niezwykłego wiatru, i wskutek najdrobniejszych przyczyn i dolegliwości choruje, gnije, marnieje. Rozpoczyna życie od płaczu, a ileż hałasu przez cały czas podnosi owa tak wzgardzona istota! Jakież ogromne plany snuje, zapomniawszy o swoim położeniu! Rozważa w swoim umyśle rzeczy nieśmiertelne i wieczne, wyznacza zadania wnukom i prawnukom, a tymczasem wśród dalekosiężnych zamierzeń dopada go śmierć, to zaś, co się nazywa starością, jest okresem bardzo niewielu lat”[3].

Wiele wieków później mnich Beda opowiadał o zgromadzeniu Anglosasów w 627 roku, podczas którego zastanawiali się nad możliwością przyjęcia wiary chrześcijańskiej. Jeden z wodzów przyrównał wówczas życie człowieka na ziemi do schronienia się wróbla w chacie podczas zimy. „Na palenisku płonie ogień i ogrzewa izbę, na dworze szaleje burza. Nagle przez jedne drzwi wlatu-

---

[3] L. A. Seneka, *Myśli*, dz. cyt., s. 137–139.

je wróbel, przelatuje szybko izbę i wylatuje drugimi drzwiami. Przeciął tę niewielką, miłą mu przestrzeń i zniknął – z zimy powrócił do zimy. Także życie człowieka jest jak mgnienie oka. Nie wiemy, co było przed nim i co po nim nastąpi"[4]. Podobnie myślał św. Augustyn, kiedy w dialogu *O życiu szczęśliwym* pisał: „Cokolwiek nas bowiem na ten świat sprowadziło – czy to Bóg, czy natura, czy przeznaczenie, czy wola nasza, czy niektóre z tych czynników łącznie, czy też wszystkie razem (...) – ciśnięto nas na burzliwe morze życia jak gdyby bez ładu i celu"[5].

Najpełniej jednak ową przygodność człowieka ukazał wierny uczeń Augustyna, Blaise Pascal. Człowiek w myśli Pascala ukazuje się jako istota paradoksalna, dramatyczna i tragiczna. Jako istota p a r a d o k s a l n a człowiek jest wewnętrznie rozdarty między wiedzę a niewiedzę, pewność a niepewność, dobro a zło. Chce poznać prawdę, lecz uświadamia sobie, że to, co wie, jest niczym wobec tego, czego nie wie. Dąży do pewności, ale wszelka ostateczna pewność jest mu odmówiona. Dąży do dobra i pragnie go, ale czyni zło, którego nie chce. Człowiek jest istotą d r a m a t y c z n ą. Jego dramat wynika z braku podstawy sensu, której nie potrafi odnaleźć w sobie samym. Wszystko zdaje się być absolutnym przypadkiem. Nie wie, dlaczego przyszło mu żyć w tym a nie w innym miejscu, w tym a nie w innym wieku. Z jednej strony odkrywa nieskończoność świata, która, coraz bardziej zgłębiana, zdaje

---

[4] Cyt. za: K. Jaspers, *Filozofia egzystencji*, przeł. D. Lachowska, A. Wołkowicz, Warszawa 1990, s. 27.

[5] Św. Augustyn, *O życiu szczęśliwym*, przeł. A. Świderkówna, w: *Dialogi filozoficzne*, Warszawa 1953, t. I, s. 8.

się kurczyć w jego oczach. Kiedy wraca do miejsc swego dzieciństwa, oto niebotyczne niegdyś drzewo rosnące na podwórku zdaje się mu niepomiernie mniejsze, a odległy las zbliżył się na rzut kamienia. Zgłębia Drogę Mleczną i struktury atomu – i efekt jest podobny. Im bardziej jednak kurczy się nieskończoność wokół niego, tym bardziej otwiera się otchłań innej, duchowej nieskończoności. A on sam czuje się rzucony gdzieś na granicę między tymi nieskończonościami, jak ziarnko piasku porzucone nad brzegiem morskim przez przypadkowy podmuch. Człowiek jest istotą tragiczną. Nie tylko bowiem przemija, jak cały świat, ale jest świadom swego przemijania. „Nie wiem, kto mnie wydał na świat, ani co jest świat, ani co ja sam. Żyję w straszliwej nieświadomości wszystkich rzeczy. Nie wiem, co jest moje ciało, co zmysły, co dusza i owa część mnie, która myśli to, co ja mówię, która zastanawia się nad wszystkim i nad sobą, i która nie zna siebie tak jak reszty. Widzę przerażające przestrzenie wszechświata, które mnie otaczają. Czuję się przywiązany do kącika tej rozległej przestrzeni, nie wiedząc, czemu mnie pomieszczono raczej w tym miejscu niż w innym, ani czemu tę odrobinę czasu, jaką mi dano do życia, wyznaczono w tym, a nie w innym punkcie całej wieczności, która mnie poprzedziła, i tej, która ma po mnie nastąpić. Widzę ze wszystkich stron same nieskończoności, które zamykają mnie niby atom i niby cień trwający niepowrotną chwilę. Wszystko, co wiem, to jeno to, iż mam niebawem umrzeć; ale co mi najbardziej nieznane, to sama ta śmierć, której niepodobna mi uniknąć"[6].

---

[6] B. Pascal, *Myśli*, dz. cyt., s. 136.

Obok tych zjawisk losu, które wypływają z przygodności bytu ludzkiego – jak przemijalność, śmierć i poprzedzające ją cierpienie, samotność czy tragizm istnienia – doświadcza człowiek także radości, rozrywki, szczęścia i miłości. Zjawiska te nie różnią się jednak od poprzenich tylko pod względem tego, co pozytywne i negatywne (wiadomo bowiem, że człowiek woli kochać niż cierpieć, radować się niż smucić, być szczęśliwym niż doświadczać tragizmu, istnieć niż umierać), ale bardziej pod względem tego, co konieczne i przypadkowe w ludzkim losie. Los jest bowiem czymś, w czym bierzemy udział, w co zostaliśmy włączeni od chwili swego narodzenia, ale na co – przynajmniej w pewnej mierze – nie mamy wpływu. Los jest czymś, co od nas samych zdaje się być niezależne. Niezależne na zasadzie konieczności: nie my bowiem wybraliśmy taki kształt losu, w którym prawem konieczności jest przemijanie i śmierć, samotność i cierpienie. Ale niezależne również na zasadzie przypadkowości: bo nie wiadomo, dlaczego, kiedy i kogo spotyka szczęście, fortuna czy miłość. Umrzeć musimy, czasami też musimy cierpieć. Szczęścia i miłości możemy sobie tylko życzyć. Jednak zarówno na jedno, jak i na drugie zdajemy się nie mieć wpływu.

„Losy podążają swoją drogą – pisał Seneka – i ani nie dodają niczego, ani z danej raz obietnicy niczego nie odejmują. Daremne pragnienia, daremne usiłowania. Każdy tak wiele otrzyma, jak wiele w pierwszym dniu życia było mu przeznaczone”[7]. Podobnie ujmował rzecz Boecjusz (Anicius Manlius Boethius), mając na myśli ową przy-

---

[7] L. A. Seneka, *Dialogi*, dz. cyt., s. 445.

godność zdarzeń, które kształtują nasz los w sposób całkowicie nieprzewidywalny i w niedającym się określić czasie. „Cóż więc jest, o synu człowieczy, co cię w smutek i w troskę wprawiło? Ty sądzisz, że los się zmienił w stosunku do ciebie: jesteś w błędzie. To, co się stało, jest losu obyczajem, jest jego naturą. On tylko w stosunku do ciebie zachował raczej stałość we właściwej sobie zmienności: tak było, gdy ci schlebiał, gdy ponętami fałszywej szczęśliwości cię łudził. Odkryłeś teraz ślepego bóstwa dwulicową twarz, która dotąd ukrywa się przed innymi, a przed tobą w pełni się ujawniła. Jeśli ci się takie szczęście podoba, stosuj się do jego zwyczajów i nie narzekaj! A jeżeli jego przewrotności nie cierpisz, wzgardź nim i odrzuć je, jako igrające na twą zgubę. Bo co ci jest obecnie przyczyną tak wielkiego żalu, to samo winno było być przyczyną spokoju. Opuścił cię bowiem los, a nikt nigdy nie może być pewien, że los go nie opuści. Czy możesz uważać za cenną szczęśliwość, która od ciebie może odejść? I czy drogi ci jest los obecny, o którym nie masz pewności, czy zostanie ci wierny, i którego odejście przyniesie ci smutek? Czy więc to coś, czego wedle swej woli nie można zatrzymać, a co uchodząc czyni człowieka nieszczęśliwym, nie jest ową przelotnością, która jest tylko niejako zapowiedzią przyszłej klęski? Nie wystarcza bowiem widzieć to, co jest przed oczyma, bo dopiero wynik rzeczy mierzy rozum, a ta sama zmienność losu w tym i w przeciwnym kierunku sprawia, że ani jego pogróżki nie budzą obaw, ani jego schlebiania nie są godne życzenia. Zresztą musisz z równowagą ducha znosić, cokolwiek się dzieje w zasięgu władania losu, jeżeliś raz poddał kark pod jego jarzmo. Jeżelibyś chciał przypisać losowi, jaki sobie dobrowolnie za swego pana wybrałeś, prawo pozostania przy tobie lub odejścia od ciebie, czyż nie byłbyś niesprawiedliwy i czyż niecierpliwością nie pogorszyłbyś sobie doli jeszcze więcej, nie mogąc go zmienić? Gdybyś żagle wiatrom otworzył, płynąłbyś nie tam, dokąd by twoja wola zmierzała, ale dokąd wiatr by pchał okręt. Gdy roli ziarno powierzasz, musisz przewidywać na przemian urodzajne i nieurodzajne lata. Jeżeliś oddał rządy losowi, musisz być posłuszny obyczajom tego pana. Czy starasz się zatrzymać pęd toczącego się koła?"[8].

LOS INDYWIDUALNY

Jeśli takie – konieczne albo przypadkowe (pozytywne albo negatywne) – są zjawiska ludzkiego losu, to czym jednak jest sam los? Los człowieka jako takiego jest taki właśnie, jak to powyżej w skrócie ukazałem. Ale udział każdego w tym losie jest całkowicie indywidualny. Los człowieka jest przede wszystkim jego własnym losem. Los jest (z pewnego punktu widzenia) konstelacją przypadkowych wydarzeń. Fortuna kołem się toczy. Jednych obdarza wysokim urodzeniem, innych od początku skazuje na nędzę. Jednych obsypuje majętnościami, talentami, zdolnościami, przebojowością, innych czyni wiecznymi żebrakami, kruchymi i słabymi istotami. Jednych obdziela zdrowiem i siłą, innych powala cierpieniem. Króla czyni nędzarzem, robotnika prezydentem, prostych

---

[8] A. M. S. Boethius, *O pocieszeniu jakie daje filozofia*, przeł. W. Olszewski, Warszawa 1962, s. 25–26.

z urodzenia podnosi do godności szlacheckiej. „Los oznacza jakieś wymierzenie i przydzielenie – wyznacza on człowiekowi jego miejsce we wszechbycie, przydziela mu jego substancję i miarę życia, możliwości i granice dopełnienia i niewypełnienia się”[9].

To jednak nie wszystko. Los człowieka jest przypadkiem, ale tylko człowiek posiada swój los. Tylko w odniesieniu do człowieka można mówić o losie. Kamień, roślina czy zwierzę nie posiadają losu, choć czasami przez analogię mówimy np. o „psim losie”. Nie mają losu, ponieważ tylko zwyczajnie są, istnieją. Nie mają jednak refleksyjnej świadomości swego istnienia. Człowiek natomiast nie tylko jest, ale wie o tym, że jest, a wiedząc, znajduje się w sytuacji konieczności zrozumienia swojego istnienia. Dotyczy to, jak sądzę, trzech podstawowych spraw. Po pierwsze, tylko człowiek ma los, gdyż do istoty losu należy jego zrozumienie. Człowiek musi pytać, skąd się wziął i po co istnieje, do jakiego celu wiedzie go życie. Już sam los człowieka polega na stawianiu sobie takich pytań i potrzebie poszukiwania na nie odpowiedzi. Po wtóre, tylko człowiek ma los, ponieważ tylko on jest świadom swego losu. Co znaczy jednak być świadomym? Nie tylko to, że człowiek wie o swej skończoności, przemijaniu, cierpieniu czy śmierci, ale że wie o tym w kontekście swych pragnień. Człowiek na przykład nie dlatego jest skończony, że jest skończony i wie o tym, ale dlatego, że pragnie nieskończoności. Podobnie też jest samotny nie dlatego, że jest samotny i wie o tym, lecz dlatego, że pragnie

[9] R. Guardini, *Koniec czasów nowożytnych. Świat i osoba. Wolność, łaska, los*, przeł. J. Bronowicz, Kraków 1969, s. 367.

więzi i miłości. I po trzecie wreszcie, tylko człowiek ma los, ponieważ wobec jego wydarzeń zmuszony jest świadomie oceniać swe postępowanie, określać słuszne i fałszywe kierunki działania w jakiejś skali wartości, dobra i zła. Człowiek jest bowiem jedyną istotą, która może – a nawet musi – świadomie określić siebie wobec własnego losu. I na tym właśnie określeniu swego odniesienia do losu polega ludzki los. Bo nawet wtedy człowiek ten los określa, gdy zapytany: „O co chodzi"? odpowiada, że „nie chodzi o nic".

Tylko człowiek ma los, gdyż tylko on jest istotą obdarzoną wolnością. Gdyby nie był wolny, nie wiedziałby, że istnieją konieczne i przypadkowe zjawiska ludzkiego losu. Koniecznymi lub przypadkowymi stają się one dopiero wobec ludzkiej wolności. Dopiero ten, kto jest wolny, może zrozumieć, czym jest konieczność przemijania, cierpienia i śmierci, na które jego wolność nie ma żadnego wpływu, a które zdają się całkowicie ją ośmieszać. Dopiero ten, kto jest wolny, może także zrozumieć, czym jest przypadkowość szczęścia, więzi czy miłości, których może sobie jedynie życzyć. Tylko wolna istota może doświadczyć na sobie nieprzekraczalnych konieczności bytu i tylko ona, mając przekonanie, że wszystko zależy od niej, może też doświadczyć jego kaprysów.

Los jest więc czymś, w czym człowiek uczestniczy, co wydarza się w sposób nieprzewidywalny. Ale tylko człowiek ma los – jako świadoma i wolna istota, pozostająca wciąż w konieczności określania swego stosunku do wydarzeń losu. Los jest więc nie tylko sumą wydarzeń dotyczących człowieka, ale także wypadkową wydarzeń oraz świadomego i wolnego sposobu uczestnictwa w nich przez samego człowieka. Tak chyba należy zrozumieć popularne stwierdzenie, że „każdy jest kowalem swojego losu". To tu – w świadomości, w wiedzy – tkwi także ambiwalencja ludzkiego losu, nędzy i wielkości. „Wielkość człowieka – pisał Pascal – jest wielka w tym, że zna on swoją nędzę. Drzewo nie zna swojej nędzy. Nędzą tedy jest czuć swoją nędzę, ale wielkością jest wiedzieć, że się jest nędznym"[10].

Neoplatoński filozof Plotyn, autor *Ennead*, przybliżył nam tajemnicę ludzkiego losu poprzez metaforę dramatu istnienia. Dramat jest już napisany. Nie my jesteśmy jego autorami. Nie od nas także zależy rola, jaką wypadło nam w nim grać. Zamiast jednak rozmyślać nad rolą, którą los przydzielił nam w udziale, powinniśmy raczej rozważyć, jak ją uczciwie i dobrze zagrać. Pisze Plotyn: „W ludzkich dramatach dał twórca słowa, a owo »uda się« i owo »nie uda się« ma każdy z aktorów od siebie i z siebie, bo pozostaje im jeszcze trud gry poza słowami twórcy. W prawdziwszym zaś poemacie, który tylko częściowo naśladują ludzie o poetycznej naturze, gra dusza, a to, co gra, wzięła od twórcy i jak tutejsi aktorzy biorą maski i ubiór, kwieciste szaty i łachmany, tak i dusza nie wzięła sama swoich losów na ślepo (...). I skoro się w nie oblecze, staje sią zgodna i oto już się włączyła do dramatu i do wątku świata. Rozbrzmiewa następnie, niby pieśnią jakąś, czynami i resztą tych wszystkich rzeczy, jakie może sprawić dusza na swój własny sposób"[11]. Słowa dramatu nie są więc słowami aktora, ani rola nie jest wybraną ani

[10] B. Pascal, *Myśli*, dz. cyt., s. 111.

[11] Plotyn, *Enneady*, przeł. A. Krokiewicz, Warszawa 1959, III, 2,17, s. 307.

wymarzoną przez niego rolą. Role są różne, jak różne są „placówki w świecie" i przypadają aktorom na zasadzie trafu lub całkowitego przypadku. Ale głos i gest każdej, pierwszo- i drugoplanowej roli jest głosem i gestem aktora. Tym głosem i gestem aktor, na swój własny sposób, może włączyć się w dramat i przydać mu uroku albo brzydoty. Przez złą grę nie uczyni jednak dramatu gorszym ani go nie ośmieszy, ale sam okaże własną nieudolność. „Otóż w ten sposób wchodzi także dusza do owego wszechświatowego poematu, czyni się częścią dzieła, wnosi od siebie samej dobroć lub nieudolność swej gry, otrzymuje zaraz przy wejściu przeznaczoną sobie rolę i otrzymawszy wszystko prócz samej siebie tudzież spraw swoich, odbiera w końcu karę lub cześć zasłużoną"[12]. Bez względu jednak na karę lub cześć trzeba grać swą rolę w dramacie losu. Nie można na scenie zgłaszać pretensji do dramaturga czy reżysera. „Przecież to byłoby tak, jakby jakiś poeta wprowadził do swego dramatu aktora, który lży i napada na autora dramatu"[13]. Choć, dodajmy, i dla takich ról jest miejsce w dramacie losu. Dramat losu tym bowiem różni się od dramatu scenicznego, że nie ma w nim kulis, za którymi można by ukryć niedojrzałego aktora.

Pójdźmy dalej śladem wskazanym przez Plotyna. Specyfika ludzkiego losu ukazuje się pełniej poprzez wspomnianą na wstępie kategorię „sytuacji". Mieć taki lub inny los, to znaczy znajdować się w określonym położeniu, w określonej sytuacji; tak właśnie ujmują to stwierdze-

---

[12] Tamże, III, 2,17, s. 308.
[13] Tamże, III, 2,16, s. 303–304.

nia, w których wyrażamy komuś współczucie: „nie zazdroszczę ci twego położenia", „nie chciałbym znaleźć się w podobnej sytuacji"; albo dzielimy z nim radość „szczęśliwego położenia" czy „sprzyjającej sytuacji". Czym jednak jest to położenie? Na czym polega bycie w sytuacji? Sytuację określają różnorodne relacje. Znajdować się w jakimś położeniu, sytuacji to pozostawać w odniesieniu do otaczającego środowiska. Tak mówimy np. o położeniu, usytuowaniu swojego domu, o usytuowaniu w krajobrazie lub o czyjejś sytuacji społecznej, która wyraża jego odniesienie do ludzi, pieniędzy, wartości itp. Każde istnienie znajduje się więc w jakiejś sytuacji i przez tę sytuację jest określone. Taka sytuacja jest zmienna w zależności od zmieniającego się kontekstu i relacji. Oto może zmienić się czyjaś sytuacja społeczna, może nastąpić zmiana usytuowania w krajobrazie itp. Jednak w przypadku człowieka, istoty świadomej i wolnej, sytuację określa nie tylko jedno-, ale właśnie dwustronny system relacji. To nie tylko wydarzenia wokół nas określają naszą sytuację, ale określa ją także nasz stosunek do tych wydarzeń. Sytuacja powstaje na styku określonych wydarzeń i relacji człowieka do nich[14]. Człowiek nie znajduje się więc w sytuacji, która otacza go jak woda pień, bezwolnie płynący z jej nurtem. Sytuacja jest owocem wzajemnego oddziaływania. Jeśli więc ktoś znajduje się w „głupiej" lub „szczęśliwej" sytuacji, w sytuacji „nie do pozazdroszczenia", w „ciężkiej" sytuacji, to sytuacja ta jest wypadkową

---

[14] Por. R. Palouš, *Przyczynek do fenomenologii sytuacji*, w: *Zawierzyć człowiekowi. Księdzu Józefowi Tischnerowi na sześćdziesiąte urodziny*, Kraków 1991, s. 476.

współdziałania niezależnych od człowieka wydarzeń i jego własnej, świadomej wolności.

Nie należy zapominać o tym wzajemnym wpływie na siebie obydwu elementów tworzących sytuację: niezależnych wydarzeń i wolności. Jeśli dla przykładu człowiekowi przytrafia się cierpienie, choroba, która rodzi nieodwracalne kalectwo, to z jednej strony staje się ono wyzwaniem dla ludzkiej wolności, z drugiej jednak, kiedy człowiek przezwycięży je przez męstwo bycia, samo cierpienie nabiera nowego znaczenia i sensu i ukazuje się już nie jako powalające *fatum*, ale jako źródło wyzwalające heroizm. Te same okoliczności, lub okoliczności podobne, stawiają więc ludzi w różnych sytuacjach. To dlatego w jednym wypadku cierpimy z powodu czyjegoś losu, a w innym, podobnym, zazdrościmy komuś jego losu.

Położenie człowieka wyznacza, jak sądzę, związek trzech elementów: całości otaczającego go świata, czyli faktyczności (fakt urodzenia, fizyczne i psychiczne uwarunkowania człowieka, inicjacja w kulturę), przypadkowych zdarzeń (*fatum*, ingerencja bogów lub Boga) i własnych wolnych decyzji. Te trzy elementy stanowią nierozerwalny splot, węzeł i ten właśnie splot – określający położenie człowieka – nazywam losem. Los jest nieprzejrzysty, ponieważ nigdy w pełni nie wiadomo, jak przebiegają i zapętlają się tworzące go nici. Pierwotnie położenie człowieka nie jest otwartością (jak sądzi np. L. Landgrebe), ale właśnie stanem nieprzejrzystości i niezrozumiałości. Próbą zrozumienia losu może być opowieść.

Ów szczególny związek między „nićmi" losu a jego rozumieniem przez człowieka ukazuje się w postaci opowieści, która jest uprzywilejowaną formą ujęcia własnego losu. Oto ktoś cierpi. Możemy powiedzieć: „marny jego los". Wypada jednak raczej zapytać: „w jakim jesteś położeniu?". By przedstawić swój los, snuje on wówczas przed nami swą opowieść. Bez tej opowieści nie poznalibyśmy ani nie zrozumieli jego losu. Także moja opowieść mówi o tym, jak ja rozumiem los człowieka. W każdej opowieści zawarte są jakieś obiektywne zdarzenia, które zdają się sytuować opowiadającego. Zdarzenia te jednak nigdy nie występują w postaci czystej: zawsze ujęte są w pewien wątek. Zdarzenia mogą być takie same, ale konstrukcja wątku odmienna: inne może być rozłożenie akcentów dramatycznych, inna konstrukcja osnowy. Wątek jest zawsze osobisty. To on stanowi wyraz rozumienia zdarzeń. Oto wysłuchaliśmy opowieści cierpiącego i może już wiemy, że jego los nie jest wcale marny.

Spójrzmy na *Wyznania* św. Augustyna: układają się one w opowieść, za pomocą której autor usiłuje zrozumieć pierwotną niezrozumiałość losu, przeniknąć tajemnicę tego przedziwnego splotu: jego sytuacji, czyli faktyczności (syn poganina i chrześcijanki, niezmiernie uzdolniony), zdarzeń (miłość do kobiety, śmierć przyjaciela, spotkanie św. Ambrożego, coraz wyraźniejsze doświadczenie bycia prowadzonym przez Boga) i jego własnych wolnych decyzji. Jak biegły te wzajemnie przeplatające się nici? Które z nich i kiedy kształtowały w dominujący sposób historię jego własnego losu? W opowieści Augustyna pojawia się co jakiś czas modlitwa do Boga o światło zrozumienia.

Sytuacja, a przez to los człowieka, zmienia się najpierw w zależności od horyzontu odniesień w przestrzeni i czasie. Z punktu widzenia przestrzeni można pytać o sytuację w skali własnego, najbliższego otoczenia, narodu, świata czy nawet wszechświata[15]. W zależności od wyboru zakresu przestrzeni zmienia się sytuacja człowieka. Inaczej wygląda nieszczęście w perspektywie jednostkowej lub obejmującej najbliższych, inaczej w perspektywie cierpienia ludzkości. Zresztą przestrzeń sytuacyjna człowieka ulega zmianie nieuchronnie. Najpierw jest to przestrzeń dziecka, którego cały świat sprowadza się do przedmiotów będących na wyciągnięcie ręki, z czasem – przestrzeń dostępna przez niezdarne jeszcze raczkowanie, czy wreszcie – otwarta na wysokość jednego metra. Ten świat sytuacyjnych odniesień nieustannie się poszerza, jednak wielu dorosłych już ludzi nie potrafi przekroczyć swego położenia z okresu dzieciństwa. Pomimo dorosłego wieku ich los rozgrywa się wciąż w przestrzeni dostępnej na wyciągnięcie ręki i wyznaczonej zakresem zainteresowań sobą samym.

Z punktu widzenia czasu możemy mówić o sytuacji chwilowej, aktualnej, o sytuacji ostatnich lat, naszego wieku czy wręcz w ogóle o historycznej sytuacji człowieka[16]. Również i w tym przypadku sytuacja człowieka zmienia się w zależności od jego decyzji. Ktoś na przykład uważa, iż odpowiedzialny jest tylko za to, co dzieje się aktualnie, i wyłącza odpowiedzialność za epoki minione albo za przyszłość świata. Oto dwaj Niemcy tego samego pokolenia znajdują się w różnych sytuacjach i różny jest ich los, gdyż jeden z nich żyje tylko perspektywą czasu aktualnego, natomiast drugi – także perspektywą prze-

[15] Por. tamże.
[16] Por. tamże.

szłości – doświadczając wciąż poczucia odpowiedzialności za faszyzm. Inna jest jego sytuacja, gdyż „zmusza" go ona do przyjazdu do Polski i studiowania doświadczenia zła w życiu Rudolfa Hössa w Centrum Dialogu w Oświęcimiu. Mówimy wówczas: „takie są jego losy", ale te losy stanowią wynik sytuacji uwarunkowanej m.in. perspektywą czasu.

Ze względu na rozszerzające się perspektywy przestrzeni i czasu możemy mówić o rozłączności albo o przenikaniu się losów ludzkich. Wydaje się, że moja osobista sytuacja nie ma nic wspólnego z sytuacją toczących wojnę Żydów i Palestyńczyków. Ani także, że nie ma ona nic wspólnego z sytuacją pierwszych osiedleńców Ameryki. Jednak w skali całej przestrzeni, jak i w skali całego czasu, nie można mówić o rozłączności ludzkich losów. Uświadamiamy sobie to szczególnie teraz, w dobie cywilizacji informacyjnej. Kiedyś, gdy dystans między miastami pokonywał dyliżans, a ciała człowieka można było dosięgnąć jedynie z odległości, jaką pokonuje wystrzelona z łuku strzała, zdawało się, że losy ludzi żyjących kilkadziesiąt kilometrów dalej nie mają wpływu na nasz los i odwrotnie. Dzisiaj, kiedy informacje docierają natychmiast z całkowicie odległego regionu świata, a niektóre działania człowieka przestały mieć charakter lokalny, sytuacja zmieniła się radykalnie. Wciąż, co prawda, mamy możliwość wyboru między „dzieleniem z kimś jego losu" i „pozostawieniem go na łasce losu", nie możemy jednak już mówić o rozłączności losów. Różne losy ludzkie w przestrzeni i czasie wzajem na siebie wpływają i włączają się w jeden nurt losu człowieka, jak dopływy wpadające do rzeki.

Granica i struktura sytuacji nie jest więc nigdy ostatecznie określona. Jest zawsze otwarta na inną, nową perspektywę widzenia i inne, nowe jej rozumienie. Wraz z tą perspektywą i rozumieniem zmienia się ludzki los. Los – z jednej strony – nie jest więc dowolnie przez nas wybrany. Jesteśmy w nim osadzeni, jest nam przydzielony. Nie istnieje on jednak w sposób całkowicie niezależny, bez udziału i woli tych właśnie, którzy są w nim „usytuowani". Kształtowanie losu dokonuje się bowiem poprzez jego rozpoznawanie. A to już jest sprawa spostrzeżeń, perspektyw zrozumienia i uchwycenia, rozumu, uczuć i fantazji, bycia „w losie" i bycia „poza nim", wiedzy lub wiary[17].

POSTAWA WOBEC LOSU

Człowiek może przyjmować różnorodną postawę wobec wydarzeń swego losu i tym samym w rozmaity sposób go kształtować. Przyjrzyjmy się podstawowym „usytuowaniom" człowieka w zmiennych kolejach losu i wobec nich. Postawy te ogniskują się wokół dwóch przeciwstawnych biegunów: obojętności, rezygnacji i rozpaczy oraz afirmacji i heroizmu.

Jedną z możliwych reakcji człowieka na wydarzenia losu jest dążenie do pogodzenia się z nimi. Ludzki los polega wówczas na samym tym pogodzeniu się. Może się ono przejawiać w różnych postaciach. Jedną z nich nazywamy postawą stoicką. Stoik odróżnia to, co wolitywne, od tego, co niewolitywne, to, co zależne jest od jego

[17] Por. tamże, s. 483.

woli, od tego, co jest jedynie darem losu. Starożytny stoik Epiktet podaje takie oto przykłady tego, co niewolitywne: zachowanie integralności ciała, zdrowie, piękno, życie, ziemia, własność, niewolnicy, szata, konie, długie życie przyjaciół. Natomiast tym, co wolitywne jest, wedle niego: uznawanie czegoś za prawdę, powzięcie decyzji, pogarda dla śmierci. Skoro nie możemy wpływać na kształt wydarzeń losu, które raz nas obdarowują, innym razem zaś ogałacają z wartości i dóbr, do których zdążyliśmy się przywiązać, należy osiągnąć stan wewnętrznej obojętności, wolności w stosunku do tego, co w losie niewolitywne. W ten sposób potrafimy pogodzić się z losem. „Bo cokolwiek leży poza zasięgiem twej mocy, tak i tego, kiedy chcesz, nie jesteś w stanie ani zdobyć, ani zachować, to wszystko są rzeczy, nad którymi ktoś inny jest panem. Z daleka od tego trzymaj nie tylko swe ręce, ale w większym stopniu jeszcze pragnienie. W przeciwnym razie – zaprzedasz siebie w niewolę, grzbiet podasz w jarzmo, jeżeli z podziwem spoglądać będziesz na jakąś z tych rzeczy, które nie są twoją własnością, jeżeli się rozkochasz w rzeczach niesamodzielnych i przemijających”[18]. Jeśli nie mamy wpływu na los, powinniśmy zrezygnować z wszystkiego, co ten los może zniszczyć.

Taka stoicka postawa może jednak rozwinąć się w dwóch kierunkach. Może przerodzić się w wewnętrzną obojętność wobec wydarzeń losu, w apatię czy rezygnację. W konsekwencji może doprowadzić do fatalizmu albo rozpaczy. Może też jednak stanowić okazję do „zjed-

[18] Epiktet, *Diatryby. Encheiridion*, przeł. L. Joachimowicz, Warszawa 1961, s. 347.

noczenia się z samym sobą", osiągnięcia wewnętrznej harmonii i pogłębienia sensu istnienia. Tę jedność z sobą samym traktuje stoik jako coś, co nie tylko skutecznie potrafi przeciwstawić się losowi na zasadzie obojętności, ale co ten los zaczyna przekraczać. Taka postawa może przerodzić się w męstwo bycia.

W postawie stoickiej człowiek może poddać się losowi, pogodzić się z nim, włączając bieg swego życia w rytm zmiennych wydarzeń losu. „Prowadź mnie tedy Zeusie, i ty, Przeznaczenie. Chcecie, bym szedł do Rzymu, idę do Rzymu. Na wyspę Gyaros? Dobrze, na Gyaros. Do Aten? Wspaniale, do Aten. Do więzienia? Niech będzie i do więzienia"[19]. Takie poddanie się losowi zakłada jednak albo jakąś wiarę w bogów i ich wolę, która wyznacza człowiekowi jego los, albo też przekonanie o istnieniu *fatum*, które ma nas w swoim władaniu. W pierwszym przypadku człowiek przyjmuje zdarzenia swego losu jako pochodzące z woli bogów i nie mając na nie wpływu, włącza się w ich rytm, uzgadniając w ten sposób swoją wolę z wolą bogów. Albo też odwrotnie: godząc swą wolę z wolą bogów, godzi się z pochodzącymi od nich zdarzeniami losu. „Wszelką jam swoją wolę podporządkował bogu. Chce on, by mnie spalała gorączka? No to i ja chcę również. Chce on, żebym do czegoś dążył? No to i ja chcę również. Chce on, żebym czegoś pożądał? No to i ja chcę również. Chce on, żebym ja czegoś dopiął? No to i ja również tego sobie życzę. Nie chce on tego? No to i ja również tego sobie nie życzę"[20]. Ci natomiast, którzy wierzą w *fatum*, usiłują

[19] Tamże, s. 377.
[20] Tamże, s. 350.

buntować się, walczyć z losem, albo też wychodzą mu na przeciw. Bo skoro to Parki przecinają i wiążą nić życia, a Ananke czy Mojrze muszą podporządkować się także bogowie, należy raczej „nie wyzywać losu", „nie prowokować go", lecz ukryć przed nim, co najlepsze, przechytrzyć go, a jeśli te wszystkie działania okażą się nieskuteczne, poddać mu się bezwolnie, aż do absurdu *amor fati*, która wszystkiemu, co się dzieje, mówi: „nie tylko to przyjmuję, zgadzam się, ale otwieram swe ramiona i kocham własne przeznaczenie". Jednak w gruncie rzeczy nie ma różnicy między tak przedstawioną wiarą w wolę bogów a przekonaniem o istnieniu *fatum*.

Inną postawą wobec losu może być szeroko pojęty e p i k u r e i z m. Skoro jesteśmy igraszką losu, trzeba włączyć się aktywnie w tę niepewną grę. Zamiast biernie poddawać się fatalizmowi, należy w grze losu stawiać różne stawki. Może szczęście czasami się do nas uśmiechnie. W każdym razie trzeba korzystać z losu – takiego, jakim on jest aktualnie – gdyż nie wiadomo, co zdarzy się za chwilę, w którym miejscu zatrzyma się kula w ruletce życia.

Człowiek może także buntować się przeciw swemu losowi, traktując swój bunt jako bunt całej ludzkości. Może czuć się „wybrańcem losu", powołanym, by cierpieć za miliony.

Może także chcieć podporządkować sobie los, usiłować dotrzeć do samych źródeł losu, do głębin, w których on powstaje. Kieruje wówczas swoje starania bezpośrednio w stronę potęg losu. Nazywa je po imieniu, ubiega się o ich przychylność lub względy. A tam, gdzie jego pozytywne zabiegi są nieskuteczne, usiłuje wywrzeć wpływ poprzez magię, wybór korzystnych konstelacji, także konstelacji gwiezdnych. Dąży do zaklęcia mocy losu za pomocą przesądów i zabobonów.

Wreszcie postawa rozpaczy. Doprowadzając do absurdu to, co istotne w zdarzeniach losu, ich konieczność i przypadkowość, człowiek nie znajduje już pośród nich miejsca dla swojej własnej nadziei. Samo pojawienie się w losie uznaje za igraszkę nieznanych sił. Kwestionuje więc sens wszelkich zdarzeń. Jeśli ten sens jest dla niego jeszcze gdzieś dostrzegalny, to tylko w przecięciu wątku tej komedii, którą nazywa ludzkim losem.

Przejdźmy teraz do pozytywnych postaw wobec losu. Człowiek może wierzyć w przychylność losu. Podchodzi wówczas do wydarzeń nie w postawie obojętnego stoika czy pełnego rezygnacji fatalisty, który biernie oczekuje na spełnienie przeznaczenia, ale człowieka wierzącego w skuteczność swych decyzji, pracy, odpowiedzialności. Taka postawa przejawia się w następujących stwierdzeniach: „Mogę to osiągnąć. Stanie się to, co chcę. Wszystko mi się uda. Nie może przydarzyć mi się żadne nieszczęście". „Osądy takie – pisze Romano Guardini – przekraczają oczywiście empiryczną rzeczywistość. Na dnie tej postawy tkwi przekonanie o istnieniu harmonii między zamierzeniami człowieka a inicjatywą losu. Człowiek ma przeświadczenie, że siły rządzące bytem są mu przyjazne i pomocne; że jego własny byt z tych właśnie sił się wywodzi; że może działać ufny w powodzenie. W ten sposób w obręb zjawiska losu wkracza pewien element łaski, wyrażający się w takich ludzkich przekonaniach, jak wiara w szczęśliwą gwiazdę, w duchy opiekuńcze, w pomocny wpływ przodków spoza grobu i tak dalej"[21]. Nie jest to oczywiście jeszcze łaska w znaczeniu religijnym, choć i dla niej jest tutaj miejsce. Ten afirmatywny stosunek do losu, ta wiara w jego sprzyjające konstelacje, wypływa bardziej ze zjednoczenia się z sobą samym, z akceptacji siebie samego, z zaufania swojemu istnieniu.

Człowiek może także walczyć z losem. To postawa męstwa bycia, granicząca czasami z heroizmem. Los jest nie tylko zbiorem koniecznych i przypadkowych zdarzeń. Jest w nim wiele miejsca na wolność, twórczość i inicjatywę człowieka. Choć człowiek nie wybiera zdarzeń swego losu, to jednak może je kształtować. Może przezwyciężać przeszkody, nawet te, które wymagają heroicznego wysiłku. Może usiłować bronić się przed ciosami losu i oczekiwać z nadzieją nadejścia (a nawet uprzedzać nadejście) tego, na czym mu zależy, ale co nie jest od niego do końca zależne. Taka postawa wymaga odwagi, mądrości i cierpliwości. W niej samej kształtuje się wewnętrzna moc, która skutecznie potrafi odwrócić kierunek losu, a raczej zmienić jego kształt.

Ks. Konstanty Michalski, rektor Uniwersytetu Jagiellońskiego, kapłan i człowiek nauki, w czasie pożogi wojennej napisał dzieło zatytułowane *Między heroizmem a bestialstwem*. Każdy wówczas robił to, co mógł. Kto mógł, walczył. On pisał. Zdawało się, że w takiej właśnie sytuacji wojennych losów, które prawie nikogo nie oszczędziły, twórcza praca nie miała sensu. Wszystko wydawało się nawoływać do obojętności, rezygnacji, buntu, a może nawet rozpaczy. On jednak pisał. Dzisiaj, mówiąc o mę-

[21] R. Guardini, *Koniec czasów nowożytnych*, dz. cyt., s. 369.

stwie bycia, możemy posłużyć się jego słowami: „W świetle pożogi dziejowej widzi się wyraźniej niż kiedykolwiek, że ludzki świat, nasz świat, można ratować i budować tylko z jednej, jedynej siły – z nowej miłości. Jeżeliby teraz ludzie zapomnieli o tym, że muszą duszę swoją dać, należałoby się odwrócić twarzą raczej do przeszłości. A jednak Bóg jest Bogiem żywych a nie umarłych. (...) Toteż prócz warsztatu papierowego, złożonego z takich lub innych książek, musi się w sobie znaleźć warsztat żywy, ze wszystkich myśli i uczuć, ze wszystkich swych zdolności, ze wszystkiego, do czego się doszło wysiłkiem wieloletniej pracy. Trzeba to w sobie odkryć i zapalić miłością, która każe się dać bez zastrzeżeń, każe wydobyć na jaw każdą utajoną siłę. Trzeba siłę wcielić w jakąś widzialną, dotykalną formę, by pracowała na teraz i na jutro”[22].

Każda z tych postaw mówi nam coś o ludzkim losie. Gdyż mieć los oznacza konieczność określenia własnego w nim miejsca, własnego stosunku do jego zdarzeń. Można przyjąć zdarzenia losu w postawie obojętnej rezygnacji, która może przerodzić się w fatalistyczną bierność, rozpacz czy też wydanie siebie igraszkom losu. Można też wierzyć w przychylność losu lub mężnie przeciwstawiać się jego zmiennym, a trudnym do przyjęcia kolejom. Co ostatecznie rozstrzyga o tym, jak kształtuje się ludzki los, nasz los, mój los? Co decyduje o tym, że kobieta po stracie całej swej rodziny potrafi zdobyć się jeszcze na wysiłek miłości wobec bliźnich?

---

[22] Ks. K. Michalski CM, *Między heroizmem a bestialstwem*, Częstochowa 1984, s. 35.

Co sprawia, że nieuleczalnie chory, kaleka zdobywa się na ogromny wysiłek, na męstwo bycia i czasami dochodzi do większych osiągnięć życiowych niż ludzie zdrowi i obdarzeni przez los talentami? Co decyduje, że siedmiu ludzi uratowanych z miasteczka, w którym trzęsienie ziemi pochłonęło kilkanaście tysięcy istnień, chce jeszcze żyć? Co decyduje o tym, kiedy inni obojętnieją lub popadają w rozpacz? Z pewnością nie same wydarzenia losu. Tych bowiem nie potrafimy przewidzieć ani sobie zapewnić. Wiemy, że odejść musimy wszyscy, ale dlaczego teraz, dlaczego w tak młodym wieku, dlaczego tak okrutną śmiercią? Wiemy, że kiedyś i nas dotknie cierpienie, ale dlaczego jedni rodzą się zdrowi, a inni od urodzenia są nieuleczalnie chorzy, skazani na lata cierpień, czasami w całkowitym opuszczeniu? Dlaczego urodziliśmy się w takiej rodzinie, a nie gdzieś wśród biedoty w Indiach lub w rodzinie amerykańskiego milionera? Dlaczego ktoś przez przypadek natrafił na niewłaściwego partnera życia, podczas gdy tyle rodzin jest szczęśliwych? Dlaczego ktoś pokochał kogoś za wcześnie, dlaczego pokochał go za późno? Dlaczego, dlaczego, dlaczego...? Na to nie mamy wpływu. Wydaje się jednak, że są trzy podstawowe czynniki, za pomocą których możemy kształtować nasz los.

Wymieniając je tym razem, przejdę od końca do początku. Najpierw jest to nasza własna postawa afirmacji życia, wiary w życie i w swoją własną siłę ducha, albo też postawa słabości, rezygnacji i niewiary w samego siebie. Dalej jest to szerokość spojrzenia na wydarzenia swego losu, spojrzenia w przestrzeni i czasie, z różnych perspektyw. Jeśli jest to zbyt mało rozległe spojrzenie, skłonni jesteśmy raczej do rezygnacji wobec wydarzeń losu. Przede wszystkim jednak to, co zasadniczo różni i polaryzuje wspomniane kształty ludzkiego losu, to wiara albo brak wiary w jakiś transcendentny sens historii, życia i jego zdarzeń. Jeśli człowiek wyraża przekonanie, że życiem kieruje absolutny przypadek, że wszystko jest igraszką losu, to z tego punktu widzenia pozostaje albo zobojętnieć na los, albo igrać z losem, albo poprzez rozliczne magiczne formuły usiłować uczynić go sobie przychylnym. W każdym razie postawa heroiczna i twórcza nie ma wówczas podstaw. Podstawa dla heroicznego i twórczego kształtu losu pojawi się dopiero wtedy, gdy człowiek uwierzy w jakiś transcendentny sens tkwiący pod tymi przypadkowymi i czasami trudnymi do przyjęcia zdarzeniami losu – sens na razie jeszcze ukryty, niejasny, tajemniczy. Gdy uwierzy w ten sens dla siebie, dla innych, dla przyszłości – dla siebie i innych w przyszłości.

Nie przeczę, że możliwa jest także postawa twórcza „pomimo", jak u bohaterów powieści Camusa, którzy właśnie nie wierząc w sens, próbują coś zmienić w ludzkim losie. Jest to jednak raczej postawa buntu przeciw losowi, postawa, dla której przyszłość jest zamknięta. Nie wiem także, czy takiej postawie nie grozi wcześniej czy później popadnięcie w absurd.

Wspomniany sens ukazuje nam wiara. To ona jest tą cienką, kruchą granicą oddzielającą rozpacz od nadziei, rezygnację od twórczego wysiłku.

Czy te trzy wspomniane elementy zależą jednak w pełni od człowieka? Czy o afirmacji albo rezygnacji nie decyduje w dużej mierze środowisko, w jakim zostaliśmy wychowani, nasze psychiczne możliwości? Czy o szerokości spojrzenia kształtującego naszą sytuację nie rozstrzyga wykształcona wcześniej wrażliwość? Czy sama wiara w sens nie jest już darem? A czy to wszystko razem nie jest także przypadkiem? Odpowiedź na te pytania wydaje się na powrót sprowadzać los w mroki tajemnicy.

MIŁOŚĆ I ŚMIERĆ

Połóż mię jak pieczęć na twoim sercu,
jak pieczęć na twoim ramieniu,
bo jak śmierć potężna jest miłość,
a zazdrość jej nieprzejednana jak Szeol
(Pnp 8, 6)

Miłość i śmierć związane są ze sobą nierozdzielnie. Już platońskie rozróżnienie trzech stopni miłości, przedstawione w *Uczcie*: miłości zmysłowej, duchowej i najwyższej – zobrazowane później przez pożądliwą miłość Don Juana, oblubieńczą miłość Tristana i Izoldy oraz miłość Jezusa do każdego człowieka[1] – ukazuje, w jaki sposób miłość za każdym razem przywołuje śmierć. Czyni to jednak w każdym przypadku inaczej, gdyż każda z tych miłości jest inna. Don Juan prowokuje swą śmierć wraz z każdą zdobytą kobietą; ginie w końcu z rąk zjawy Komandora, mściciela porzuconych kobiet, spłonąwszy właściwie w ogniu swej namiętności. Tristan, raniony ostrzem, umiera z rozpaczy na wieść o dalszej rozłące z ukochaną. Jezus Chrystus umiera na krzyżu śmiercią dobrowolną; śmierć Jezusa jest darem miłości dla każdego człowieka.

Związek miłości i śmierci nie jest takim samym związkiem, jak na przykład związek życia i śmierci, gdzie śmierć

---

[1] Por. K. Starczewska, *Wzory miłości w kulturze Zachodu*, Warszawa 1975, s. 7–39.

stanowi naturalny kres życia. Już w przytoczonych przykładach można dostrzec, że żadna ze śmierci, ani Don Juana, ani Tristana, ani Jezusa, nie była naturalnym kresem życia. Śmierć w odniesieniu do miłości nie oznacza także żadnego kresu, ale wręcz przeciwnie – pełnię. Śmierć nie przerywa miłości tak, jak przerywa życie.

Związek miłości i śmierci jest więc innego rodzaju. Jest to związek o charakterze paradoksu. Bardzo celnie wyraził ów paradoks Jan Lechoń w jednym ze swoich wierszy:

> Pytasz, co w moim życiu z wszystkich rzeczą główną,
> Powiem ci: śmierć i miłość – obydwie zarówno.
> Jednej oczu się czarnych, drugiej – modrych boję.
> Te dwie są me miłości i dwie śmierci moje. (...)
>
> Na żarnach dni się miele, dno życia się wierci,
> By prawdy się najgłębszej dokopać istnienia –
> I jedno wiemy tylko. I nic się nie zmienia.
> Śmierć chroni od miłości, a miłość od śmierci[2].

ISTNIENIE

Najbardziej fundamentalną podstawą związku między miłością i śmiercią jest istnienie zarówno drugiego człowieka, jak i mnie samego. Albowiem to, o co chodzi w sposób najbardziej istotny tak w doświadczeniu miłości, jak i śmierci, to właśnie istnienie. Miłość odkrywa wartość istnienia drugiego człowieka i własnego istnienia. Pragnie to istnienie zachować, obawia się go utracić. Odkrywa je jakby wbrew śmierci i przeciw niej. W śmierci także chodzi

[2] J. Lechoń, *Poezje*, Warszawa 1987, s. 29.

o to samo istnienie, co w miłości. Jeśli miłość pragnie zachować je na wieczność, śmierć usiłuje je unicestwić. Tak więc naprawdę dopiero miłość uprzytamnia nam całe okrucieństwo śmierci. Najbardziej bowiem śmierć daje do myślenia wówczas, gdy doświadczamy obecności najbardziej ukochanych. Gdyby nie miłość, śmierć byłaby nam może bardziej obojętna, jak w przypadku wszystkich innych, którzy umierają, a których śmierć uznajemy za mniej lub bardziej naturalną. Nie ujawniłaby się więc pełnia okrucieństwa śmierci, gdyby nie ukochane istnienie drugiego, w które ona mierzy. Natomiast miłość nie odkryłaby siebie samej, gdyby nie śmierć, ów próg, który pragnie przekroczyć, by zachować nienaruszalną więź z ukochanym. „Miłość mocna jak śmierć". Eros i Thanatos są więc dwiema maskami doświadczenia tego samego istnienia.

W miłości doświadczamy szczególnej intensyfikacji swojego własnego istnienia. Jest to istnienie indywidualne i niepowtarzalne. Człowiek odkrywa swoją jedyność, owo „ja jestem", dzięki temu, że został wybrany przez tego, który go ukochał. „Ja jestem", bo „ty jesteś". „Ja jestem", gdyż jestem dla tego kochającego „ty". To „jestem", „jesteś", nie jest już jakimś bezosobowym „jest", w którym nie ma „ty" i „ja". Być może właśnie w miłości człowiek po raz pierwszy odkrywa siebie jako osobę i doświadcza smaku swojego własnego istnienia. Znakiem indywidualności, która tu się ujawnia, jest niezastępowalność. Nikt nie może mnie zastąpić w miłości, nikt nie może stanąć w miejscu tego „ja jestem", gdyż w miłości nie chodzi o kogokolwiek, ale właśnie o mnie i o ciebie.

Lecz tak jak nikt nie może mnie zastąpić w miłości, tym bardziej nikt nie może zastąpić mnie w śmierci.

Śmierć jest więc drugą odsłoną, w której osoba doświadcza szczególnej intensyfikacji swego istnienia, ponieważ także tu jest świadoma swej niezastępowalności. Ta druga odsłona jest jednak od samego początku obecna w pierwszej. Im bardziej bowiem człowiek uświadamia sobie jedyność swego istnienia, im bardziej to jego istnienie staje się „punktem", którego nie da się rozmyć w żadnym tle istnienia bezosobowego, tym bardziej jest świadomy, że jest to tylko punkt, który śmierć tym łatwiej może pochłonąć. Pragnie jednak istnieć już nie jako przedstawiciel rodzaju ludzkiego, klasy społecznej czy cząstka zbiorowej pamięci, ale – tym własnym, jedynym i niepowtarzalnym istnieniem. Pragnie trwać. W nim samym związek miłości i śmierci ujawnia się więc jako pragnienie pokonania progu śmierci, pragnienie, którego mogłoby nie być, gdyby nie rozbudzone w miłości doświadczenie smaku własnego istnienia.

„Sobość, *daimon* – pisał Franz Rosenzweig – nie w sensie orficznej stancy Goethego, gdzie słowo to oznacza właśnie osobowość, lecz w sensie określenia Heraklita, »*daimon* jest dla człowieka jego ethosem«, ten ślepy i niemy, zamknięty w sobie *daimon* napada człowieka po raz pierwszy w masce *Erosa*, i prowadzi go odtąd poprzez życie aż do owej chwili, kiedy zdejmuje maskę i odsłania mu się jako *Thanatos*. Jest to drugi, i jeśli ktoś woli, ukryty dzień narodzin Sobości. (...) Między tymi dwoma narodzinami *daimona* mieści się wszystko, co dla nas staje się wiadome o Sobości człowieka"[3].

---

[3] F. Rosenzweig, *Gwiazda Zbawienia*, przeł. T. Gadacz, Kraków 1998, s. 148–149.

Doświadczenie miłości jest jednak przede wszystkim szczególnym doświadczeniem intensywności i smaku istnienia drugiego. Kluczowym słowem, które tutaj się pojawia, jest również „istnienie": „ty jesteś". Miłość jest afirmacją istnienia osoby. Najważniejsze dla rodziców jest to, że „jest" ich dziecko, że „istnieje"; dla przyjaciela, że „jest" przyjaciel, dla oblubieńca, że „jest" oblubienica. To właśnie dar obecności, dar istnienia wyraża istotę miłości. Pisała Simone Weil: „Szukać u ludzi kochanych (albo też pragnąć im dać) inną pociechę poza tą, jaką daje nam dzieło sztuki, pomagając już przez to samo, że istnieje, to nikczemność". „Kochać, być kochanym, to tylko tyle, co przydawać wzajemnie konkretności swojemu istnieniu, nieustannie uprzytamniać je sobie nawzajem"[4]. „Jeśli pragnie się tylko tego, aby jakaś istota istniała, ona istnieje, czego tedy pragnąć więcej?"[5]. Podobnie Maurice Nédoncelle: „Ja, które kocha, chce przede wszystkim istnienia drugiej osoby"[6].

Osoba, choć wyraża się w swoich własnych przymiotach, cechach charakteru, nie może ostatecznie zostać sprowadzona do tych cech ani przymiotów. Miłość nie kocha bowiem za coś, jak pisze Scheler, ale, można dodać, często kocha pomimo. Miłość niczego więc nie żąda od drugiego, poza owym pragnieniem utrwalenia jego istnienia. Wyznawać drugiemu miłość to znaczy właściwie mówić mu tylko jedno słowo: „bądź". „Bądź" na

[4] S. Weil, *Świadomość nadprzyrodzona*, przeł. A. Olędzka-Frybesowa, Warszawa 1986, s. 225.

[5] Tamże, s. 226.

[6] M. Nédoncelle, *Ku filozofii miłości i osoby*, przeł. K. Bukowski, w: *Wartość miłości i przyjaźni*, Kraków 1993, s. 31.

wieczność. Miłość, wychodząc od odkrycia istnienia drugiego: „ty jesteś", zamienia je w życzenie, które jest wyznaniem miłości: „bądź".

Lecz właśnie temu „bądź" kładzie kres śmierć. Doświadcza się jej tym bardziej, im bardziej intensywnie doświadcza się owego pragnienia, by drugi istniał na wieczność. W łonie doświadczenia miłości, i to od samego jego początku, pojawia się więc lęk przed utratą drugiego. Nie tyle przed jego zdradą, ile przed ostatecznym zagarnięciem go przez śmierć. Miłość dana jest od samego początku wraz z tym lękiem i być może także za jego cenę.

Miłość i śmierć toczą więc z sobą walkę. Obie usiłują zapanować nad istnieniem ukochanego. Miłość jednak wierzy w możliwość wiecznego trwania. Pisał Gabriel Marcel: „Ukochać jakąś istotę – mówi jedna z moich postaci – to powiedzieć: ty nie umrzesz"[7]. Czy miłość i śmierć są jednak tylko wrogimi mocami, skoro bez śmierci nie moglibyśmy wyznać miłości, tego „bądź" na wieczność, a bez miłości nie mielibyśmy nadziei pokonania progu śmierci?

DOJRZAŁOŚĆ

„Na pytanie: Dlaczego śmierć? Pitagorejczyk i lekarz Alkmeon (w VI wieku przed Chrystusem) dawał odpowiedź: »ludzie giną dlatego, że nie mają siły początku przywiązać do końca«. Kto zdołałby to uczynić, byłby nieśmiertelny. Cóż to znaczy? Koło czasu jest jak powrót,

[7] G. Marcel, *Homo viator*, przeł. P. Lubicz, Warszawa 1959, s. 215.

nieśmiertelność tego, co w tym kole się dzieje. To jednak nie dzieje się samo z siebie, ale dzięki »sile«, o której mówił Alkmeon"[8]. To przekonanie, że powiązanie końca z początkiem tworzy nierozdzielną jedność, która przezwycięża także przemijalność, było, jak sądzę, powodem, dla którego jedność była zawsze ideałem miłości, szczególnie miłości oblubieńczej. Nie chodzi tu oczywiście o jedność poglądów, zapatrywań, ale o takie złączenie, taką więź, która stworzy nierozdzielną jedność. Jedność ta nie podlegałaby już podziałom na części, a więc zgodnie z poglądem starożytnych – nie podlegałaby już także śmierci.

Temu dążeniu do jedności w miłości najpełniejszy wyraz dał Platon w *Uczcie*: „Albowiem dawniej natura nasza nie była taka, jak teraz, lecz inna. Bo, naprzód, trzy były płcie u ludzi, a nie, jak teraz dwie: męska i żeńska. Była jeszcze i trzecia prócz tego; pewien zlepek z jednej i drugiej. (...) Dopiero Zeus (...) porozcinał ludzi na dwoje, tak jak owoce na kompot. A co którego rozetnie, zaraz Apollinowi każe obrócić mu twarz i pół szyi w stronę rozcięcia, aby człowiek zawsze mając to miejsce przed oczyma, był grzeczniejszy niż przedtem, a resztę też kazał wygoić. (...) A jeśli kiedy taki, czy jakikolwiek inny człowiek przypadkiem znajdzie swą drugą połowę, wtedy nagle dziwny na nich czar jakiś pada, dziwnie jedno drugiemu zaczyna być miłe, bliskie, kochane, tak, że nawet na krótki czas nie chcą się rozdzielać od siebie. I niektórzy życie całe pędzą tak przy sobie, a nie umieliby nawet powiedzieć, czego jedno chce od drugiego. Bo chyba nikt nie

---

[8] K. Jaspers, *Kleine Schule des philosophischen Denkens*, München 1965, s. 163.

przypuści, żeby to tylko rozkosze wspólne sprawiały, że im tak dziwnie dobrze być, za wszystko w świecie, razem. – Nie. – Ich obojga dusze, widocznie, czegoś innego pragną, czego nie umieją w słowa ubrać i dusza swe pragnienia przeczuwa tylko i odgaduje. I nie wiedzieliby, co odpowiedzieć mają, gdyby tak nad ich łożem Hefajstos z narzędziami stanął i zapytał: »Czego wy chcecie od siebie ludzie?«. Nie wiedzieliby, czego. Więc gdyby znowu zapytał: »Prawda, że chcecie tak się złączyć w jedno, możliwie najściślej, żebyście się ani w dzień, ani w nocy nie rozłączali? Jeżeli tego chcecie, ja was spoję i zlutuję w jedno, tak, że dwojgiem będąc, jedną się staniecie istotą. I aż do skonu razem będziecie żyli, niby jeden człowiek, a potem, po wspólnej śmierci, będziecie w Hadesie nie dwojgiem istot, lecz znowu jednym cieniem«”[9]. W przekonaniu Platona cała tajemnica miłości zdolnej przezwyciężyć śmierć tkwi w tym, aby „dwojgiem będąc, jedną stać się istotą”.

Taka więź jest jednak nieosiągalna, nie tylko ze względu na to, że nie ma jedności, która jednocześnie nie pozbawiłaby „ja” i „ty” ich specyficznej odrębności, ale właśnie ze względu na samą śmierć, którą ta jedność usiłuje przezwyciężyć, „wiążąc koniec z początkiem”, lecz która jej wciąż realnie zagraża. Tu więc ma swe źródło druga tendencja w miłości: dążeniu do zjednoczenia towarzyszy wciąż pragnienie rozstania, nie tylko po to, by sprawdzić, wypróbować jedność, lecz by wyrazić nadzieję, że następna próba jedności będzie może bardziej doskonała. Stąd też każde rozstanie zapowiada ostateczne rozstanie w śmierci. Śmierć jest tu nie tylko zapowiadana w każ-

[9] Platon, *Uczta*, przeł. W. Witwicki, Warszawa 1988, s. 79–84.

dym rozstaniu, ale wręcz z samego centrum dążenia do jedności tryska tęsknota za śmiercią. Miłujący nie tylko w sposób naturalny osuwają się w śmierć, ale jakby sami jej pragną, mając nadzieję, że po przekroczeniu jej progu rozwiązany zostanie paradoks ich położenia. Tę prawdę najcelniej potrafią jednak wyrazić poeci. Tak pisze ks. Jan Twardowski:

> Bo widzisz tu są tacy którzy się kochają
> i muszą się spotykać aby się ominąć
> bliscy i oddaleni jakby stali w lustrze
> piszą do siebie listy gorące i zimne
> rozchodzą się jak w śmiechu porzucone kwiaty
> by nie wiedzieć do końca czemu tak się stało
> są inni co się nawet po ciemku odnajdą
> lecz przejdą obok siebie bo nie śmią się spotkać
> tak czyści i spokojni jakby śnieg się zaczął
> byliby doskonali lecz wad im zabrakło
>
> bliscy boją się być blisko żeby nie być dalej
> niektórzy umierają – to znaczy już wiedzą
> miłości się nie szuka jest albo jej nie ma
> nikt z nas nie jest samotny tylko przez przypadek
> są i tacy co się na zawsze kochają
> i dopiero dlatego nie mogą być razem
> jak bażanty co nigdy nie chodzą parami
>
> można nawet zabłądzić lecz po drugiej stronie
> nasze drogi pocięte schodzą się z powrotem[10].

Przejawami napięcia między tendencją jedności i tendencją rozdzielenia są nasilające się wciąż przeciwień-

---

[10] J. Twardowski, *Bliscy i oddaleni*, w: *Wiersze*, Białystok 1993, s. 103.

stwa. Miłość jest mocą, która ujawnia się w samym środku tych przeciwieństw. W przywołanym wierszu są to: spotkanie – minięcie się, bliskość – oddalenie, gorąco – zimno, śmiech – smutek, doskonałość – wada. I znowu bardzo celnie pisał o tym Platon, wywodząc pochodzenie Erosa od Dostatku i Biedy. „A że to syn Dostatku i Biedy, przeto mu taki los wypadł: przede wszystkim jest to wieczny biedak; daleko mu do delikatnych rysów i do piękności, jak się niejednemu wydaje; niezgrabny jest i jak potyrcze wygląda, i boso chodzi, bezdomny po ziemi się wala, bez pościeli sypia pod progiem gdzieś albo przy drodze, dachu nigdy nie ma nad głową, bo taka już jego natura po matce, że z biedą chodzi w parze. Ale po ojcu goni za tym, co piękne i co dobre, odważny, zuch, tęgi myśliwy, zawsze jakieś wymyśla sposoby, do rozumu dąży, dać sobie rady nie potrafi, a filozofuje całe życie, straszny czarodziej, truciciel czy sofista; ani to bóg, ani człowiek. I jednego dnia to żyje i rozkwita, to umiera znowu i znowu z martwych powstaje, bo jest w nim natura ojcowska"[11].

To napięcie między jednością i rozdzieleniem, ów paradoks związku miłości i śmierci, nie może jednak trwać zbyt długo. Musi zostać rozwiązany. Pojawiają się tu dwie możliwości rozwiązań: naturalne i nadprzyrodzone. Pierwsze przedstawił Maurice Blondel, drugie Simone Weil.

Według Blondela, ta niedająca się osiągnąć w miłości jedność zostaje rozwiązana w dziecku. „A więc stało się. Wydaje się, że połączeni ciałem, aby utworzyć już tylko jedną duszę, połączeni duszą, aby utworzyć już tylko jedno ciało, małżonkowie odnaleźli swą całość. *Tenui eum*

---

[11] Platon, *Uczta*, dz. cyt., s. 102–103.

nec dimittam. A jednak kiedy przez tajemniczą wymianę dwie istoty tworzą tylko jedną istotę bardziej doskonałą, czy ich wzajemna obecność, czy ich wspólne działanie zamyka krąg ich woli? Czy jest to pełne posiadanie, czy jest to granica, u której zatrzymuje się poryw pragnienia? Nie. Dwie istoty stały się wprawdzie jednością, ale właśnie kiedy tworzą jedno, stają się trojgiem. Ten cud poczęcia uwydatnia poprzez fakt to, co powinno być, to, co jest głęboką wolą tych właśnie, którzy spodziewają się znaleźć w swojej niestabilnej jedności chwilę odpoczynku, nasycenia i dostatku. Dążąc do ukochanego celu, kocha się mniej sam cel niż owoc, którym on, wzbogacony dzięki miłości, obdarza istoty poświęcające się dla niego. W ten sposób zawsze, jak się wydaje, wola przewyższa samą siebie, jak gdyby nowe fale płynące od środka nieustannie zataczały rozszerzające się ciągle koła działania – działania, które w każdym momencie wydaje się celem i doskonałością jakiegoś świata, lecz jest nieustannie początkiem nowego świata. Wola zamyka się i koncentruje tylko po to, by otwierać szersze horyzonty nienasyconej ambicji pragnienia.

Ta stałość, której wymagała miłość, ta jedność nierozerwalna i nieśmiertelna znajduje się właśnie w dziecku. Sam poryw namiętności łamie magiczny krąg, gdzie ona, być może, zamierzała zamknąć się na zawsze. W tym absolucie, w tym zaspokojeniu, w tej wieczności chwilowej poszukiwanej w sposób nieskończony wola momentalnie przekracza siebie samą; pragnie ona posiąść duszę istoty ukochanej, aby wytworzyć nowe ciało. Zjawia się trzecia osoba, jakby dla dopełnienia nieudanej próby jedności; nie jest ona już miłością, *osculum*; jest narodzona z miłości; objawia moc miłości i jej ułomność; przypieczętowuje ją grobem – kołyską, która nie zwraca już rodzicom tego, co od nich wzięła. Jest teraz kilka osób – to jest bogactwo. Jest ich kilka – to jest ubóstwo, nie są już bowiem jednym. Pojawiła się obca jutrzenka: rodzina rozrastająca się musi się otworzyć i rozproszyć, wspólne uczucie musi pomnożyć się przez dzielenie. Oboje zjednoczeni nie mogą już i nie chcą już być dla siebie wszystkim: często nawet ich wzajemna czułość, zmieniwszy kierunek, jednoczy się tylko nad głową dziecka..."[12]. W ten sposób, dzięki doświadczeniu śmierci w samym akcie miłości, miłość dojrzewa, a jej owocem jest dziecko, wcielona jedność dwojga.

Nadprzyrodzone rozwiązanie tego paradoksu proponuje natomiast Simone Weil. Według niej jedność i rozdzielenie przynależą do samej istoty miłości Boga. Bóg jest nieskończenie zjednoczony z Bogiem, ale jednocześnie nieskończenie od Boga oddzielony. Miłość Boga jest ukrzyżowana. Do istoty miłości należy zatem cierpienie. Weil dała więc nazwę temu napięciu między jednością a rozdzieleniem. Miłość jest cierpieniem. Rodzi się bowiem sama jakby poprzez własne przeciwieństwo, jak pisze o tym William Blake:

> Różo, tyś chora:
> Czerw niewidoczny,
> Niesiony nocą
> Przez wicher mroczny,

---

[12] M. Blondel, *L'Action*, cyt. za: J. Lacroix, *Życie i twórczość Maurice Blondela*, przeł. W. Albrecht-Kowalska, Warszawa 1970, s. 257–258.

Znalazł łoże w szczęśliwym
Szkarłacie twego serca
I ciemną, potajemną
Miłością cię uśmierca[13].

Dla Simone Weil to cierpienie miłości międzyludzkiej może znaleźć swe ostateczne rozwiązanie w Miłości ukrzyżowanej. „Kochankowie, przyjaciele mają dwa pragnienia. Jedno, to kochać się tak, by wchodząc w siebie wzajem stać się jedną istotą. Drugie, kochać się tak, że choćby ich rozdzielił glob ziemski, związek ich nie poniesie żadnego uszczerbku. Wszystko to, czego człowiek na próżno tu pożąda, istnieje doskonale i rzeczywiście w Bogu. Wszystkie te nieosiągalne pragnienia są w nas jak gdyby znakiem naszego przeznaczenia. (...) Miłość między Bogiem a Bogiem, która sama jest Bogiem, to więź o takiej właśnie dwojakiej mocy, która dwa byty jednoczy tak, że niepodobna ich odróżnić i stają się w istocie jednym; więź zdolna pokonać oddalenie i odnieść tryumf nad nieskończoną rozłąką. Jedność Boga, w której znika liczba mnoga, opuszczenie, które odczuwa Chrystus, nie przestając kochać Ojca w sposób doskonały – oto dwoista moc boskiej Miłości, która sama jest Bogiem"[14].

Czy więc bez śmierci miłość mogłaby dojrzeć do Miłości?

---

[13] W. Blake, *Chora róża*, w: *„Miłość jest wszystkim, co istnieje". Antologia w wyborze i przekładzie Stanisława Barańczaka*, Poznań 1992, s. 254.

[14] S. Weil, *Miłość Boga a nieszczęście*, przeł. H. Malewska, w: *Sens choroby, sens życia, sens śmierci*, pod red. H. Bortnowskiej, Kraków 1980, s. 347.

OFIARA

Innym rodzajem związku między miłością a śmiercią jest ofiara. Dotyczy ona zarówno miłości bliźniego, miłości oblubieńczej, miłości rodzicielskiej, jak i na przykład miłości ojczyzny. Nie ma większej miłości niż ta, która wyraża się w dobrowolnym darze własnego życia, zarówno wtedy, gdy się umiera z miłości do ojczyzny, jak i wówczas, gdy matka wybiera śmierć, aby dać pierwszeństwo życiu dziecka, albo gdy ktoś umiera za nieznajomego lub za tego najbliższego sobie, którego kocha miłością oblubieńczą. „Tym więcej bowiem ktoś okazuje miłości – pisze św. Tomasz – im liczniejszych i cięższych cierpień nie unika dla przyjaciela: otóż z całego ludzkiego zła najcięższa jest śmierć, która odbiera człowiekowi życie, toteż nie może być większego znaku miłości, niż kiedy człowiek wystawia się dla przyjaciela na śmierć"[15].

Drogę do tej najwyższej ofiary możemy przedstawić jako drogę zbliżania się do drugiego. Bliskość jest bowiem synonimem miłości. W potocznym rozumieniu bliskość wyrażana jest poprzez spójnik „z". Być blisko to znaczy być „z" drugim. Tymczasem można być „z" drugim, dzielić z nim miejsce przy stole, wspólny dach nad głową, życiowe plany, być związanym więzami krwi, a jednocześnie być daleko. Bliskości nie wyznacza bowiem wspólna przestrzeń czy miejsce, ale miłość pojmowana jako poświęcenie i ofiara. Być blisko nie znaczy więc być „z" drugim, ale „dla" drugiego. Bliskość nie jest więc początkiem, ale końcem. Możliwa jest dopiero u kresu. Człowiek miłu-

---

[15] Św. Tomasz, *Dzieła wybrane*, przeł. J. Salij OP, Poznań 1984, s. 106.

je drugiego w takiej mierze, w jakiej się do niego zbliża, a zbliża się w takim stopniu, w jakim ponosi dla niego coraz wyższą ofiarę. Początkiem tej drogi jest łaskawość, kresem – śmierć za drugiego. Tak właśnie, w tym świetle, należy rozumieć słowa przysięgi małżeńskiej: „oraz że cię nie opuszczę aż do śmierci". Słowa te nie wyrażają jedynie wierności aż po kres, „do śmierci", ale także i przede wszystkim – gotowość do ofiarowania swego życia za drugiego.

Pierwszym przejawem miłości jest łaskawość. Łaskawość to otwarcie na drugiego i życzenie mu błogosławieństwa, bez względu na to, kim jest, jak się nazywa i skąd przychodzi. Skierowana jest do każdego nieznajomego. Już w pierwszych słowach pozdrowienia: „dzień dobry" wyrażamy troskę o drugiego. Pozdrowienie to nie informuje przecież o pogodzie, ale wyraża błogosławieństwo, życzenie spokoju, pięknego dnia i moją „dysponowalność" dla drugiego. To życzenie, to błogosławieństwo stanowi podstawę wszystkich relacji z drugim. Jeśli nie ma w nas tego otwarcia, tego błogosławieństwa, inni mogą stać się naszym przekleństwem.

Kolejnym, wyższym przejawem miłości jest dar. Jest to najpierw dar czasu. Miłość domaga się czasu. Nie wystarczą jej zdawkowe, kurtuazyjne pozdrowienia. Nie jest ona jedynie jak Marta zatroskana o sprawy materialne. Musi być niekiedy jak Maria, która znajduje czas na obecność przy ukochanym. Dalej – jest to dzielenie się dobrami materialnymi z drugim. Dawanie i rozdawanie. Miłość nie jest abstrakcyjnym współczuciem dla pogrążonej w cierpieniu ludzkości. Nie jest jedynie błogosławieństwem: „idź z Bogiem, odziej się i najedz, jestem ci życzliwy". Zarówno dar czasu, jak i dar materialny stanowią konkretną ofiarę i dopiero ona jest wyrazem miłości. Miłość nie rzuca jedynie wzniosłych słów na wiatr. Jest czynem. Potrafi wiele poświęcić. Rozpoznawana jest po owocach. „Drzewa nie poznaje się po liściach, ale po owocach. Poznaje się je także po liściach. Owoc jednak jest cechą istotną. Gdybyś zatem poznawał drzewo po liściach, a w czasie owocowania musiałbyś poznać, iż nie wydało ono żadnego owocu: to stwierdziłbyś, że nie było właściwie tym drzewem, za jakie uchodziło dzięki swym liściom. Podobnie jest z rozpoznawaniem miłości. Apostoł Jan powiada: »Dzieci nie miłujmy słowem ani językiem, ale czynem i prawdą«. A do czego lepiej moglibyśmy porównać ową miłość w słowach i frazesach, jeśli nie do liści drzewa? (...) Winieneś pozwolić ustom twym mówić z nadmiaru serca. Ale kochać nie można słowami i frazesami, a także nie należy po tym poznawać miłości"[16]. Miarą miłości jest ofiara, do jakiej człowiek jest zdolny i jaką faktycznie podejmuje.

Kolejny, jeszcze wyższy przejaw miłości – dla tych, którzy to rozumieją i czują się do tego wezwani – to diakonia, nieustanna służba. Już nie dzielenie się chwilami czasu i określonymi darami, ale całym czasem i całym sobą. Czynienie wszystkiego z myślą o drugich.

Najwyższym jednak przejawem miłości jest – bardziej troszczyć się o życie drugiego niż o własne. Oto troska o życie drugiego pociąga za sobą jego pierwszeństwo przede mną. On liczy się bardziej niż ja. Nawet wtedy, gdy trzeba umrzeć dla niego, ale i za niego – gdy trzeba

---

[16] S. Kierkegaard, *Ukryte życie miłości*, przeł. J. Susuł, „Znak" 1960, nr 67, s. 47–48.

zastąpić go w śmierci. To najwyższy przejaw miłości. „Odpowiedzialność za drugiego człowieka – pisał Emmanuel Lévinas – niemożność pozostawienia go samego w obliczu tajemnicy śmierci, to konkretnie – przez wszystkie odmiany dawania – zdolność do najwyższego daru: śmierci za Innego. Odpowiedzialność nie jest tu zimnym wymogiem prawnym. Jest całą powagą miłości bliźniego – miłości bez pożądania – na której opiera się rdzenne znaczenie tego wytartego słowa i którą zakładają wszystkie literackie formy jej sublimacji oraz jej profanacji”[17].

Śmiercią „dla” drugiego jest śmierć matki dla dziecka. Pisał Rosenzweig: „A miłość zaiste ogarnia oboje, kochającego jak i ukochaną. Ale ukochaną inaczej niż kochającego. W kochającym bierze ona swój początek. Ukochana jest poruszona, jej miłość jest już odpowiedzią na wzruszenie, jest Anterosem, młodszym bratem Erosa. Dla ukochanej znaczy to przede wszystkim, że miłość jest potężna jak śmierć. Zresztą tylko kobiecie, a nie mężczyźnie natura dała prawo umrzeć z miłości”[18]. Śmiercią „za” drugiego była śmierć ojca Maksymiliana Kolbe w obozie koncentracyjnym. Tą jednak śmiercią, która jest najwyższym przejawem miłości – będąc zarówno śmiercią „dla”, jak i „za” nas – jest śmierć Jezusa.

Dar istnienia w śmierci także dlatego jest nawyższym przejawem miłości, że w miłości nie chodzi o żaden inny dar, tylko o dar siebie samego. Zarówno łaskawość, dzie-

---

[17] E. Lévinas, *O Bogu, który nawiedza myśl*, przeł. M. Kowalska, Kraków 1994, s. 248.

[18] F. Rosenzweig, *Gwiazda Zbawienia*, dz. cyt., s. 267.

lenie się czasem, dobrami materialnymi czy nawet służba innym tylko wówczas stanowią wyrazy miłości, gdy jednocześnie stanowią dar samego siebie. W miłości bowiem chodzi nie tyle o nakarmienie głodnych czy pocieszenie strapionych. W takim wypadku miłość musiałaby zniknąć, gdyby nie było między nami głodnych ani smutnych. W miłości chodzi o dar siebie. Na tym polega właśnie ów Pawłowy paradoks miłości bez miłości: „gdybym nawet rozdał na jałmużnę całą majętność moją, a miłości bym nie miał, byłbym niczym" (1 Kor 13, 3). Dlatego miłość, choć wymaga konkretnych przejawów, do nich się nie sprowadza. Tym właśnie różni się od altruizmu. „Lęk na widok własny, na widok niewielkiej wartości własnej – pisze Max Scheler – pcha duszę do poświęceń na rzecz kogoś innego, bo jest w ogóle »inny« – nie ze względu na czyjeś wartości pozytywne, lecz tylko dlatego, że jest to »ktoś inny«, jakieś »nie-ja«. Współczesny żargon filozoficzny nazwał to bardzo charakterystycznie: »altruizm« – jedna z wielu współczesnych namiastek miłości. Tutaj nie dostrzega się najpierw jakiejś wartości pozytywnej i miłość nie rozwija się dopiero na tym podłożu, wartość pozytywna zaś nie objawia się w samej miłości, lecz człowiek odwraca się najpierw od siebie samego, roztapia w sprawach cudzych. Któż nie spotkał się z ludźmi tego typu, którzy pojawiają się tak często wśród socjalistów, sufrażystek, a w ogóle wśród ludzi stale »społecznie nastawionych«, których aktywność społeczna kryje wyczuwalną tak wyraźnie niezdolność do skupienia uwagi na sobie, na własnych problemach życiowych, własnych zadaniach? Odwracanie wzroku od siebie uchodzi tu za miłość! Jasne przecież jak słońce, że »altruizm«, proste wewnętrzne skierowanie się w stronę »innych« ludzi i ich życia, nie ma nic wspólnego z miłością!"[19]. To, co pozwala odróżnić miłość od altruizmu, to właśnie możliwość śmierci, kiedy nie ma już żadnych darów materialnych, którymi można się wykłamać od miłości. Śmierć czyni więc miłość darem czystym, darem istnienia.

Jeśli jednak w miłości bliźniego napięcie związku między miłością i śmiercią rozwiązuje się w śmierci „dla" i „za" drugiego, inaczej jest w miłości oblubieńczej i rodzicielskiej. Miłość oblubieńcza, jako miłość, domaga się najwyższego daru, istnienia drugiego. Równocześnie jednak, kiedy następuje to najwyższe wyznanie miłości w darze życia, ukochany przestaje być już fizycznie obecny. Jeśli w miłości bliźniego można mówić o mniejszej lub większej obojętności na istnienie tego drugiego, który daje swe życie, miłość oblubieńcza pragnie je właśnie w tym samym momencie najwyższego wyznania zachować. A jest to niemożliwe. Stajemy tu znów wobec pewnego rodzaju paradoksu. „Chciałabym, żeby mnie kochał ten, którego kocham. Ale jeśli jest mi bez reszty oddany, przestaje istnieć i ja przestaję go kochać. Jeśli zaś nie jest mi bez reszty oddany, nie dość mnie kocha. Głód i przesyt"[20].

Simone Weil wyraża tu, jak sądzę, ten sam paradoks, który ukazuje Pieśń nad pieśniami, mówiąc o spotkaniu ukochanego z ukochaną: „Otworzyłam ukochanemu memu, lecz ukochany mój już odszedł i znikł; życie mię odeszło, iż się oddalił. Szukałam go, lecz nie znalazłam, wołałam go, lecz mi nie odpowiedział" (Pnp 5, 6).

---

[19] M. Scheler, *Resentyment a moralność*, dz. cyt., s. 106.
[20] S. Weil, *Świadomość nadprzyrodzona*, dz. cyt., s. 310.

Ten paradoks związku miłości i śmierci mógłby być rozwiązany dopiero wówczas, gdyby możliwy był taki pełny dar ze swego istnienia, owo „oddanie bez reszty", które jednocześnie pozwoliłoby zachować swoje istnienie.

Taki dar możliwy jest jednak tylko w Bogu, pomiędzy Boskimi osobami, gdzie „bycie dla drugiego" nie dokonuje się już „bez drugiego". Dar istnienia odzyskuje w Bogu samego siebie już „z drugim".

Gdyby więc nie możliwość śmierci, czy można by wyznać w pełni miłość? Gdyby nie miłość objawiona nam z Boga i przez Boga, czy możliwe byłoby rozwiązanie paradoksu związku miłości i śmierci?

ŚWIADECTWO

Śmierć pojęta jako ofiara możliwa jest jednak nie tylko w miłości bliźniego, w miłości oblubieńczej czy rodzicielskiej, ale także w miłości Boga. Chodzi tu o śmierć męczeńską, w której człowiek swoją śmiercią wyznaje nie tylko wiarę w Boga, w Jego istnienie, ale także swoją miłość do Niego. Ten wątek związku miłości i śmierci znajdujemy zarówno u św. Jana od Krzyża, jak i u Franza Rosenzweiga czy Edith Stein.

Rosenzweig stopniuje prawdy w zależności od ich wagi, a tę z kolei – od kryterium, które jest wymagane do ich okazania. „Od tych najmniej ważnych prawd, że »dwa plus dwa jest cztery«, co do których ludzie łatwo się zgadzają, nie licząc niewielkiego wysiłku umysłowego, nieco mniejszego przy tabliczce mnożenia, trochę większego przy teorii względności, prowadzi droga poprzez prawdy, które człowieka już coś kosztują, do tych, których nie może on sprawdzić inaczej niż poprzez ofiarę swego życia..."[21] Śmierć jest więc sposobem składania świadectwa Bogu jako Prawdzie Najwyższej. Tę swoją teorię poznania, która „wartościuje prawdy według ceny potrzebnej do ich sprawdzenia i według więzi, które tworzą one pomiędzy ludźmi"[22], Rosenzweig nazywa „mesjańską". Przyrodnik może uzasadnić swe tezy doświadczalnie, historyk uargumentować źródłowo, matematyk czy logik może je wyprowadzić za pomocą dowodu. Co może jednak ten, kto miłuje Boga i w sytuacji dramatycznego wyboru pragnie pozostać wierny swojej Miłości? Może „umrzeć dla Niewidzialnego"[23], jak pisał Lévinas. Umrzeć można oczywiście także dla jakiejś fikcji i pod przymusem, jak w przypadku śmierci fanatyka, który gotów jest umrzeć także dla sprawy całkowicie wyimaginowanej. Dla Rosenzweiga jednak jest to śmierć dobrowolna, którą poznaje się po owocach. Są śmierci, które sieją między ludźmi nienawiść i rodzą podziały, są także takie, które tworzą jeszcze głębsze więzi i miłość. Takie świadectwo składane Bogu w śmierci i poprzez śmierć jest jednak dostępne nie tyle obserwatorom zewnętrznym, co samemu świadkowi i tym, którym dany jest udział w łasce zrozumienia jego świadectwa.

O podobnym sposobie wyznawania Bogu miłości poprzez śmierć pisała Edith Stein. „Bytem Boga, Istotą Boga

---

[21] F. Rosenzweig, *Nowe myślenie. Kilka uwag* ex post *do Gwiazdy Zbawienia*, przeł. T. Gadacz, w: *Filozofia dialogu*, wybór i oprac. B. Baran, Kraków 1991, s. 79.

[22] Tamże.

[23] E. Lévinas, *Całość i nieskończoność*, przeł. M. Kowalska, Warszawa 1998, s. 20.

jest Miłość (...) a miłość jest najwyższą formą poznania. Bo miłość sama w sobie nastawiona jest na coraz głębsze poznanie, a nawet w samym swym najpierwszym zaczątku nie jest bez niego możliwa”[24]. Stein przeszła w swym życiu od doświadczenia poznania filozoficznego do poznania w miłości. Poznanie rozumowe doprowadziło ją do głębszego poznania poprzez miłość. Odzwierciedleniem tej „mesjańskiej” drogi poznania jest ostatnie dzieło jej życia: *Wiedza krzyża* (*Kreuzeswissenschaft*) o mistyce św. Jana od Krzyża, o poznaniu Boga poprzez dar z siebie. „*Scientia crucis* – pisała – zdobywa się tylko wtedy, gdy się samemu do głębi doświadczy krzyża. Od początku byłam o tym przeświadczona i powiedziałam z całego serca: *Ave Crux, Spes unica* [Witaj Krzyżu, Nadziejo jedyna]”[25].

Wyrazem tej mesjańskiej teorii poznania mogą być słowa Chrystusa: „znam swoje owce, ponieważ daję za nie Me życie”. Człowiek miłujący uświadamia sobie, że słowo „znam” może wypowiedzieć z taką mocą, z jaką zdobywa się na coraz wyższy dar z siebie. Ów dar jest sposobem poznania miłości. W wypadku miłości Boga jest to dar najwyższy, świadectwo w śmierci.

Czy istaniałaby więc możliwość wyznania miłości Bogu i wyboru tej Miłości nade wszystko, gdyby nie umożliwiła jej sama śmierć?

---

[24] E. Stein, *Światłość w ciemności*, przeł. s. Immakulata J. Adamska OCD, Kraków 1977, t. I, s. 250.

[25] Tamże, s. 280.

TERAŹNIEJSZOŚĆ

We wszystkich przedstawionych tu doświadczeniach, śmierć ujawnia istotę miłości. Zarówno wtedy, gdy walczy o to samo istnienie co miłość, gdy pozwala dojrzewać miłości, jak i wtedy, kiedy staje się sposobem najwyższego wyznania miłości, tak wobec drugiego, jak i Boga. Szczególnie jednak ujawnia nasze ludzkie rozumienie miłości w aspekcie czasowym. Miłość ludzka skierowana jest na chwilę teraźniejszą i w niej się wyraża. Ponieważ jest śmierć, miłości nie można odkładać na później.

Śmierć jest ostatnim akordem, który nadaje miłości jej ostateczny kształt. I to nie u kresu, ale w każdej chwili. Bez tego ostatniego akordu miłość nie mogłaby być pełna ani bezwarunkowa. Śmierć jest bezwarunkowa, dlatego wymaga od każdego odpowiedzi w ostateczny sposób.

Miłość spełnia się z chwilą wypełnienia się ofiary życia w śmierci. W takim rozumieniu śmierć nie jest unicestwieniem ludzkiego ja, ale jego spełnieniem. Dlatego każde wyznanie miłości przeniknięte jest „dreszczem" śmierci. Mówimy: „aż do śmierci". To, że jesteśmy śmiertelni, odsłania nam samą istotę miłości. Bez śmierci miłość nie byłaby tym, czym jest – niepowtarzalnością: „Może tylko teraz i nigdy więcej". Gdybyśmy nie byli śmiertelni, odpowiedź miłości zawsze można by było odłożyć na później. Śmierć czyni miłość niepowtarzalną, wyjątkową i bezwarunkową, właśnie ze względu na to „może tylko teraz i nigdy więcej". Tak naprawdę dopiero śmierć uczy więc kochać.

Nie jest łatwo kierować miłość na chwile teraźniejsze. „Tak właśnie jest w życiu: nie potrafimy cieszyć się chwilą obecną, tak jest gęsta, nieprzejrzysta, poznanie działa zawsze wstecz, poprzez pełne żalu wspomnienie. Ci, których kochamy, nawet w chwili gdy ich kochamy, pozostają nieznani; dopiero po ich wyjeździe albo śmierci ukazuje się ich prawdziwa twarz i pojawia się miłość niewyrażalna i rozdzierająca. Może materialna obecność oślepia nas, ludzi, swoim nadmiarem tak, że nie potrafimy dotrzeć do duszy, do istoty. Obecność musi się zatrzeć, musi przemienić się w brak i wtedy dopiero poznajemy jej smak, w ciszy i przywołując to nieobecne, ilekroć zapragniemy"[26]. Dlatego tak przejmująco brzmią słowa poety:

Śpieszmy się kochać ludzi tak szybko odchodzą
zostaną po nich buty i telefon głuchy
tylko to co nieważne jak krowa się wlecze
najważniejsze tak prędkie że nagle się staje
potem cisza normalna więc całkiem nieznośna
jak czystość urodzona najprościej z rozpaczy
kiedy myślimy o kimś zostając bez niego

Nie bądź pewny że czas masz bo pewność niepewna
zabiera nam wrażliwość tak jak każde szczęście
przychodzi jednocześnie jak patos i humor
jak dwie namiętności wciąż słabsze od jednej
tak szybko stąd odchodzą jak drozd milkną w lipcu
jak dźwięk trochę niezgrabny lub jak suchy ukłon
żeby widzieć naprawdę zamykają oczy
chociaż większym ryzykiem rodzić się niż umrzeć
kochamy wciąż za mało i stale za późno

---

[26] J. Guitton, *Dziennik*, wybrała i przeł. A. Olędzka-Frybesowa, Warszawa 1984, s. 300–301.

Nie pisz o tym zbyt często lecz pisz raz na zawsze
a będziesz tak jak delfin łagodny i mocny

Śpieszmy się kochać ludzi tak szybko odchodzą
i ci co nie odchodzą nie zawsze powrócą
i nigdy nie wiadomo mówiąc o miłości
czy pierwsza jest ostatnią czy ostatnia pierwszą[27].

---

[27] J. Twardowski, *Śpieszmy się*, w: *Wiersze*, dz. cyt., s. 152.

SAMOTNOŚĆ

> Zła miłość wasza ku sobie czyni wam samotność więzieniem[1].

Niełatwo jest myśleć o samotności w czasach, które są naznaczone poczuciem głębokiego osamotnienia. Doświadczenie osamotnienia jest jednym z bardziej dojmujących doświadczeń współczesności. Przeżywają je nie tylko ludzie dorośli, mający poczucie, że nie należą do nikogo, a tym bardziej do siebie samych, lecz także dzieci, które otrzymują od dorosłych prawie wszystko, poza darem bliskości. Jednocześnie temu poczuciu osamotnienia towarzyszy w naszych czasach stadność życia i stosunków międzyludzkich.

Stadność zawsze stanowiła istotny wymiar życia społecznego. Skarżyli się na nią już starożytni myśliciele, uciekał od niej Petrarca, skrywał się przed nią Nietzsche. We współczesnym świecie, w którym wszyscy prawie natychmiast wiedzą wszystko o wszystkim, stadność stała się doświadczeniem powszechnym. I mimo że tworzona jest przez środki masowej komunikacji, posiada te same charakterystyczne cechy co stadność starożytnej agory: jest zdominowana przez mentalność tłumu, opinię publiczną, wspólne, często bezosobowe poglądy, wścibstwo, brak szacunku dla odrębności. Stadność tworzy różnorodne

---

[1] F. Nietzsche, *Tako rzecze Zaratustra*, dz. cyt., s. 79.

relacje między ludźmi, ale im więcej jest tych relacji, tym bardziej stają się one płytkie. W życiu stadnym człowiek wypluwa z siebie ducha na rynek i wymienia go na opinię publiczną. Właśnie stadność współczesnych relacji rodzi najgłębsze osamotnienie.

Być może rację miał Abraham Joshua Heschel, twierdząc, że poczucie osamotnienia jest wyrazem braku zdolności do bycia samotnym. „W starożytnych czasach, tak samo jak w średniowieczu – pisał – ludzie byli świadomi potrzeby samotności i czuli respekt dla tego, co oznaczała. W ciągłej stadności naszych czasów ludzie wzdragają się przed samotnością tak dalece, że potrafią ją wykorzystać jedynie do tego, by karać nią kryminalistów. Ale ogólnie rzecz biorąc, jest faktem, iż posiadanie ducha w naszych czasach jest zbrodnią, a więc jest naturalne, że miłośnicy samotności są traktowani na równi z kryminalistami”[2].

Francesco Petrarca wychwalał niegdyś samotność w słowach, które przypominają *Hymn do miłości* św. Pawła: „Samotność jest święta, prosta, nie zepsuta i najbardziej czysta ze wszystkich rzeczy ludzkich. (...) Samotność nie chce nikogo zwodzić, nikomu nie schlebia, nic nie ukrywa, nic nie zmyśla. Jest ona całkiem naga i bez ozdób, nie wystawia się na widok publiczny, ani nie szuka oklasków, które zatruwają duszę”[3]. Natomiast David Hume, angielski empiryk, pisał o samotności coś całkowicie przeciwnego: „U wszystkich istot, które nie są zwierzętami drapieżnymi i których nie poruszają gwałtowne uczucia, widzi-

---

[2] A. J. Heschel, *Samotność*, „W drodze” 1991, nr 7–8, s. 66.

[3] F. Petrarca, *De vita solitaria*, przeł. K. Morawski, w: *Wybór pism*, Wrocław 1982, s. 322–324.

my godne uwagi pragnienie towarzystwa, jakie łączy te istoty, choć nie mogą one mieć widoków, iżby osiągnąć jakieś korzyści z tego zbliżenia. To samo jest jeszcze bardziej widoczne u człowieka. (...) Całkowita samotność jest, być może, największą karą, jakiej możemy doznać"[4].

Podobnie przeciwstawne sądy na temat samotności łatwo odnaleźć u poetów. W zadumie nad samotnością ludzkiego życia skarżył się Rainer Maria Rilke:

> Samotność jest jak deszcz. Z morza w przestworze,
> wznosi się ku wieczorom nad równin bezdroże,
> płynie ku niebu i o każdej porze,
> niebo ją w sobie odwiecznie posiada,
> dopiero później stąd na miasto spada.
>
> Pada w godzinach dwuznacznych nad ranem,
> gdy wchodzi w świt ulica za ulicą,
> gdy ciała, co nic nie znalazły w sobie,
> stronią odległe i rozczarowane;
> i kiedy ludzie, co się nienawidzą,
> muszą ze sobą spać we wspólnym łożu:
>
> wtedy samotność płynie z rzekami ku morzu...[5]

Natomiast Roman Brandstaetter pisał o samotności z całą pogodą ducha:

> Samotność
> Nie jest wieżą
> Z kości słoniowej.

---

[4] D. Hume, *Traktat o naturze ludzkiej*, przeł. Cz. Znamierowski, Warszawa 1963, t. II, s. 121–122.

[5] R. M. Rilke, *Samotność*, w: *Poezje*, przeł. M. Jastrun, Kraków 1987, s. 47.

Jest morską latarnią
Na skalistym cyplu
Człowieczeństwa.

Blask samotności
Już z dala ostrzega okręty i łodzie
Przed podwodną skałą
I mielizną.

O wczesnym wieczorze
Zapal
Swoją samotność[6].

Te rozbieżne oceny samotności, zarówno u myślicieli, jak i poetów, wynikają z samej natury ludzkiego życia, które rozpięte jest między samotnością i więzią. Człowiek nie może żyć całkowicie sam. Nie potrafi nigdy w pełni oddzielić się od innych, ponieważ nawet jego pamięć i wyobraźnia żyją tym, co zaszczepili w nim inni ludzie. Nie może w ogóle żyć bez spotkań z innymi, gdyż dopiero wobec jakiegoś „ty" staje się „ja". Nie może też jednak żyć tylko z innymi i pośród innych, bez chwili odosobnienia. Nieraz samotność jest lekarstwem na niechęć do ludzi. Wówczas staje się cenną i poszukiwaną wartością. Nieraz przebywanie pośród ludzi może stać się lekarstwem na dojmujące doświadczenie samotności. Kiedy lękamy się samotności, oceniamy ją negatywnie. Gdy zaczynamy ją sobie cenić, dostrzegamy w niej wartość. Jedni ludzie są bardziej otwarci, drudzy mniej. Jedni bardziej szukają bodźców poza sobą, w świecie, na ulicy, drudzy wolą szukać ich w sobie samych, we własnym wnętrzu.

---

[6] R. Brandstaetter, *Samotność*, w: *Poezje*, Warszawa 1980, s. 99.

Jedni wybierają towarzystwo innych, drudzy przedkładają nad nie swoje własne. Nie decyduje o tym wyłącznie klimat epoki. W starożytności, dla której ideałem była przyjaźń, a samotność nie należała raczej do umiłowanych, stoicy opiewali jej wartość. W czasach, kiedy ideałem stało się samotne życie na pustyni, poświęcone rozmyślaniu i duchowemu rozwojowi, nie wszyscy żyli zgodnie z tym wzorem. Nie wszyscy romantycy byli samotni i nie wszyscy pozytywiści kwestionowali wartość samotności. Decyduje o tym sam człowiek. To on ostatecznie rozstrzyga, wokół którego z dwóch biegunów będzie koncentrowało się jego własne życie: wokół samotności czy więzi.

Jedni ludzie są bardziej samotnikami, inni budują swe życie wokół przeciwnego bieguna. Większość jednak żyje gdzieś pośrodku, między całkowitą samotnością i więzią. Taki też sposób życia radził wybierać Schopenhauer. „Stado jeżozwierzy – pisał – stłoczyło się pewnego mroźnego dnia zimowego w zbitą gromadkę, aby przez wzajemne ogrzanie ustrzec się przed przemarznięciem. Wkrótce jednak odczuły nawzajem swe kolce, co kazało im się znowu od siebie oddalić. Gdy potrzeba ogrzania znowu je ku sobie przywiodła, to drugie zło się powtórzyło, tak że miotały się między oboma cierpieniami, aż odkryły w końcu pośrednią odległość, w jakiej mogły najlepiej znosić swą obecność. Tak też potrzeba towarzyskości, wynikła z pustki i monotonii własnego wnętrza, popycha ludzi do wzajemnych kontaktów; ale cała wielość odrażających cech i nieznośnych wad odpycha ich znowu od siebie. Pośrednią odległością, jaką w końcu odkrywają, i przy której możliwe jest współżycie, jest uprzejmość oraz dobre obyczaje. Kogoś, kto nie trzyma się w tej odległości, napomina się w Anglii słowami: *keep your distance!* – Na mocy tej odległości potrzeba wzajemnego ogrzania znajduje wprawdzie tylko niepełne zaspokojenie, w zamian jednak nie odczuwa się ukłucia kolców"[7].

Kiedy zastanawiamy się nad samotnością, przychodzą nam na myśl bardzo różne skojarzenia. Najczęściej samotnym określamy człowieka, który żyje w odosobnieniu. Skrajnym przypadkiem takiej samotności byłby Robinson Cruzoe na bezludnej wyspie. Jednak i tam samotność nie jest i nie może być całkowita. „Na próżno próbujemy wyobrazić sobie jednostkę odłączoną od życia społecznego – pisał Henri Bergson. – Robinson na swojej wyspie pozostaje w kontakcie z innymi ludźmi nawet materialnie, ponieważ wyprodukowane przedmioty, które uratował z rozbitego statku i bez których by nie przetrwał, utrzymują go w kręgu cywilizacji, a więc w społeczeństwie. Lecz kontakt duchowy jest dla niego jeszcze bardziej konieczny, ponieważ szybko upadłby na duchu, jeśli pojawiającym się bez przerwy przeciwnościom przeciwstawiałby tylko swą indywidualną siłę, której granice wyczuwał"[8].

Samotnym nazywamy także tego, kto pozostaje sam w chwilach, w których ludzie zwykli w szczególny sposób łączyć się ze sobą, na przykład podczas świąt i uroczystości lub gdy dzielą wzajem radość swoich sukcesów i pocieszają się w smutkach. Wówczas doświadczenie samotności jeszcze bardziej narasta i staje się dojmujące. Kiedy wszyscy razem zasiadają do stołu, aby przeżyć ra-

---

[7] A. Schopenhauer, *Metafizyka życia i śmierci*, przeł. J. Marzęcki, „Ethos" 1995, s. 104.

[8] H. Bergson, *Dwa źródła moralności i religii*, przeł. P. Kostyło, K. Skorulski, Kraków 1993, s. 22.

dość świąt, a ktoś pozostaje sam, „samotny jak palec". Gdy na uroczystości ukończenia szkoły czy studiów zjawia się rodzina, przyjaciele, znajomi absolwentów, a ktoś samotnie odbiera dyplom i ma świadomość, że nikt z jego bliskich tego nie widzi. Gdy w szpitalu w godzinach odwiedzin nie słabnie ruch odwiedzających, a krzesło przy czyimś łóżku pozostaje puste. Gdy ktoś grzebie w ziemi swego ukochanego, gdy stoi nad grobem w samotności i opuszczeniu, i prawie nikt mu nie towarzyszy. „Bywają w życiu momenty, kiedy można się nieskończenie wzruszyć ludzką zupełną samotnością w świecie – pisał Kierkegaard. – Niedawno ujrzałem ubogą dziewczynę, jak szła sama jedna do kościoła, aby przystąpić do konfirmacji"[9].

Samotnym jest także i ten, kto nie jest związany silniejszymi uczuciami z ludźmi, choćby był człowiekiem mającym wielu znajomych, bywał w różnych towarzystwach, dzielił z innymi ważne chwile swego życia.

Nie każdy więc, kto żyje sam, kto pozostaje często z sobą samym i u siebie, jest samotny, podobnie jak nie każdy, kto przebywa w tłumie, samotnym nie jest. Można żyć samemu i nie doświadczać osamotnienia, i można też przebywać wśród ludzi i być głęboko samotnym. Samotności „można kosztować wśród zgiełku miast i królewskich dworów"[10] – pisał Michel de Montaigne. O samotności decyduje więc nie tyle zewnętrzne odosobnienie, co raczej stosunek do siebie samego i do innych. Samotność jest zatem rodzajem wewnętrznego doświadczenia.

---

[9] S. Kierkegaard, *Albo – albo*, dz. cyt., t. I, s. 21–22.

[10] M. de Montaigne, *Próby*, przeł. T. Boy-Żeleński, Warszawa 1957, t. I, s. 345.

To wewnętrzne doświadczenie dla jednych jest błogosławieństwem, dla innych przekleństwem. Zależy to nie tyle od samej samotności, co od człowieka. „W samotności bowiem człowiek marny czuje całą swą marność, wielki duch – swą wielkość"[11].

CHWAŁA BYCIA SAMOTNYM

Kiedy mówimy o chwale samotności, mamy na myśli samotność z wyboru traktowaną jako sposób życia. Taką samotność wybierają na przykład twórcy sztuki. Decydują się na samotność, gdyż wiedzą, że najwspanialsze dzieła ludzkie powstają w odosobnieniu. „Dusza może tworzyć tylko wtedy, gdy jest sama. Niektórzy są wybrani do tego, by rozkwitali na ciemnych alejkach nocy"[12]. Do twórców należą także naukowcy i filozofowie. Samotność jest zatem także ich domeną życiową. „Nieprzemijająca chwała takiego Kierkegaarda, takiego Nietzschego – wyznał kiedyś Marcel – na tym może zasadniczo polega, że nie argumentami, ale samym życiem, przebytą próbą cierpienia, wykazali, że filozof godny tego imienia (...) zatraca swoje szlachectwo w miarę, jak pozwala, by go wydarto samotności, która jest jego powołaniem właściwym"[13]. Przyjaciółmi samotności są zatem jednostki wrażliwe i głębokie – arystokraci ducha. Arystokraci ducha to ludzie wybitni, wewnętrznie bogaci, wolni, często nierozu-

---

[11] A. Schopenhauer, *Aforyzmy o mądrości życia*, dz. cyt., s. 172.

[12] A. J. Heschel, *Samotność*, dz. cyt., s. 67.

[13] G. Marcel, *Regard en arrière*, cyt. za: H. Elzenberg, *Kłopot z istnieniem*, dz. cyt., s. 438.

miani przez otoczenie, uciekający do swej samotni także przed wścibskim tłumem, przed zazdrością i zbytnią ciekawością obcych. Tak rozumieli swoją samotność Petrarca czy Schopenhauer. Gdy jednak myślimy o arystokratach ducha, staje przed nami przede wszystkim postać Friedricha Nietzschego.

Chwała samotności to także chwile odosobnienia dla osiągnięcia wewnętrznego spokoju, odpoczynku, wytchnienia od zgiełku świata, od trudnych kontaktów z ludźmi, ale także – dla rozmyślania, poznawania siebie samego. W samotności możliwe jest coś, co nie jest w pełni możliwe w zbiorowisku ludzkim. Gdy człowiek pozostaje w samotności, ma szczególną okazję do poznania samego siebie. Nie musi bowiem wówczas udawać kogoś innego, niż jest. „Gdy brak nam świadka i widza – pisał Seneka – wtedy opadają nas złe nałogi, których wynikiem jest chęć pokazania się innym i zwrócenia na siebie uwagi. Któż wdział kiedykolwiek purpurę, której nie miał komu pokazać? Kto kiedy potajemnie ucztował na złocie? Kto kiedy rozciągniony w cieniu wiejskiego drzewa samotnie napawał się wspaniałością zbytku? Nikt nie żyje wystawnie dla własnych tylko oczu ani nawet dla oczu niewielkiego grona ludzi lub najbliższego otoczenia, lecz każdy rozpościera świetne dowody swoich przywar stosownie do rozmiarów przyglądającej się temu gawiedzi"[14]. W odosobnieniu człowiek lepiej także słyszy głos natury, ma większą możliwość odnalezienia siebie, spotkania z sobą samym, gdyż samotność rodzi w nim wyższy stopień uwagi. Dlatego samotność „oczyszcza duszę, rozja-

---

[14] L. A. Seneka, *Listy moralne do Lucyliusza*, dz. cyt., s. 479–480.

śnia sumienie, rozpala serce, budzi ducha, roznieca pragnienie, ułatwia poznanie Boga"[15].

Chwała samotności ukazuje się wreszcie w tym, że samotność jest niezbędnym warunkiem spotkania i więzi. Gdyż tak jak most może połączyć tylko rozdzielone brzegi, tak do głębokich więzi z innymi ludźmi zdolni są tylko ci, którzy zdolni są wpierw do oddzielenia się i odosobnienia. By związać się z innymi naprawdę, trzeba przejść przez doświadczenie samotności. „Samotność łączy tych, których zbiorowisko rozdziela"[16] – pisał Camus. Okresowa samotność jest więc człowiekowi niezbędna.

Chwała bycia samotnym dostępna jest jednak tylko tym, których cieszą chwile odosobnienia. „Czy ktoś posiadający książki nie chciałby stale czytać, albo zabrać się do pisania na ten czy inny temat raczej, niż spędzać każdy wieczór z zagorzałymi członkami stronnictw, którzy uważają, że kraj jest do niczego"?[17] – pytał z przekąsem Bernard de Mandeville. Odosobnienie cieszy jednak tylko ludzi duchowo głębokich, wewnętrznie bogatych, samodzielnych, akceptujących samych siebie. Człowiek zdolny do samotności umie poprzestać na sobie samym, jest samowystarczalny, gdyż „im więcej ktoś sam przez się posiada, tym mniej potrzebni mu inni"[18]. Dlatego nie odrzuca boleśnie samotności mędrzec o bogatym życiu wewnętrznym czy ktoś posiadający liczne zainteresowania.

---

[15] Mistrz Eckhart, *O odosobnieniu*, w: *Traktaty*, przeł. W. Szymona OP, Poznań 1987, s. 166.

[16] A. Camus, *Eseje*, dz. cyt., s. 47.

[17] B. de Mandeville, *Bajka o pszczołach*, przeł. A. Glinczanka, Warszawa 1957, s. 365.

[18] A. Schopenhauer, *Aforyzmy o mądrości życia*, dz. cyt., s. 175.

Doskwiera ona natomiast człowiekowi pustemu. Izolację wytrzymuje tylko człowiek ducha, podczas gdy ludzie ducha pozbawieni wciąż prą do stada.

Cokolwiek jednak powiedzielibyśmy na korzyść samotności, zbyt długa samotność zamienia chwałę bycia samotnym w cierpienie samotności, a nawet w jej przekleństwo. Chwile odosobnienia zaczynają nam ciążyć i tęsknimy za bliskimi. Twórcy zaczynają płacić za swoje dzieła wysoką cenę. „Najczęściej żyją oni na granicy rozpaczy, oscylując między pragnieniem wspólnoty a odosobnieniem"[19]. Myśliciele – chwytający myśli w locie na samotnych szczytach – nawet w wyglądzie zewnętrznym przybierają postać samotników, jak Nietzsche, w opisie sporządzonym przez Lou Salome: „Samotność – to było pierwsze silne wrażenie, jakie ogarniało przy pojawieniu się Nietzschego. Przelotny obserwator nie zauważał nic, co rzucałoby się w oczy: średniego wzrostu mężczyzna, w nad wyraz prostym, ale i nad wyraz starannym ubraniu, o spokojnych rysach i ze skromnie zaczesanymi do tyłu brązowymi włosami, łatwo mógł zostać przeoczony. Ładna, w najwyższym stopniu pełna wyrazu linia ust była prawie zupełnie zakryta przez duże, zaczesane do dołu wąsy. Miał cichy śmiech, bezszelestny sposób mówienia i ostrożny, rozważny chód, przy którym pochylał się nieznacznie w ramionach; trudno byłoby wyobrazić sobie tę postać w tłumie – nosiła ona piętno odosobnienia. Nieporównanie pięknie i szlachetnie ukształtowane, tak, że mimowolnie przyciągały wzrok, były dłonie Nietzschego, o których on sam sądził, że zdradzają jego ducha...

[19] A. J. Heschel, *Samotność*, dz. cyt., s. 67.

Podobne znaczenie przypisywał swoim nadzwyczaj małym i przepięknie wymodelowanym uszom, o których powiadał, że są to prawdziwe uszy dla niesłyszalnego. Również oczy przemawiały, zdradzając prawdę. Na wpół ślepe, nie mrugały jednak – pozbawione były niezamierzonego natręctwa wielu krótkowidzów; o wiele bardziej przypominały strażników i obrońców własnych skarbów, niemych tajemnic, których nie powinien dotknąć niczyj niepowołany wzrok... Kiedy zachowywał się, jakby był pod urokiem pobudzającej go rozmowy we dwoje, wtedy w jego oczach pojawiał się i znikał wzruszający błysk; ale kiedy był w ponurym nastroju, wtedy mrocznie, niemal grożąc, przemawiała przez nie wypływająca z niesamowitych głębi samotność"[20].

PRZEKLEŃSTWO SAMOTNOŚCI

Człowiek nie jest powołany do samotności. „Człowiek samotny jest czymś niedoskonałym; musi znaleźć drugiego, aby być szczęśliwy"[21] – zauważył kiedyś Pascal. Podobnie sądził Francis Bacon: „Ten, komu samotność daje zadowolenie, jest albo dzikim zwierzęciem, albo bogiem"[22]. Dlatego ze względu na cierpienie człowieka samotnego samotność stosowana jest jako kara.

Cierpienie samotności jest skutkiem niezdolności do bycia samotnym, ale wypływa także z natury samej sa-

[20] I. Frenzel, *Nietzsche*, przeł. J. Dziubiński, Wrocław 1994, s. 111–112.

[21] B. Pascal, *Rozprawy i listy*, przeł. T. Boy-Żeleński, Warszawa 1962, s. 326.

[22] F. Bacon, *Eseje*, przeł. Cz. Znamierowski, Warszawa 1959, s. 20.

motności, która przez dłuższy czas jest trudna do udźwignięcia. Człowiek cierpi z powodu opuszczenia przez bliskich, z powodu osamotnienia – one czynią samotność nieludzką.

Chwała lub cierpienie samotności zależne są zatem od tego, od czego człowiek w samotności się odwraca i ku czemu się zwraca. Czy odwracając się od innych, zwraca się ku sobie samemu. Czasami przecież samotność może być formą ucieczki od zajęć, ukryciem się ze strachu, z obawy przed czymś, niezdolnością do radości ze szczęścia innych. Odwrócenie się od świata otaczającego, od innych ludzi tylko dla samego odwrócenia, prowadzi człowieka wyłącznie w świat pustki. Kto wybiera taką samotność, ten nie żyje dla siebie. Nie żyje także dla nikogo innego. A z kolei – czy szukanie kontaktów z innymi, towarzystwa, nie jest prostą ucieczką od siebie samego? Samotności i relacji nie poznajemy więc po tym, czy ktoś żyje w odosobnieniu, czy jest towarzyski, ale właśnie po tym, od czego – zarówno w chwilach samotności, jak i w chwilach więzi – odwraca się i ku czemu się zwraca. Jeśli samotność prowadzi do pełni życia, miłości, jeśli rodzi wspaniałe dzieła – przynosi chwałę. Kiedy jest pusta, powoduje tylko cierpienie i staje się przyczyną przekleństwa.

RODZAJE SAMOTNOŚCI

Na te różne doświadczenia kryjące się pod pojęciem samotności – na życie w izolacji, samotność twórców, odosobnienie i osamotnienie, chwałę i cierpienie samotności – możemy spojrzeć jeszcze inaczej, porządkując je, począwszy od najszerszych kręgów otaczającego nas świata, aż do najszerszych kręgów naszego świata wewnętrznego.

Patrząc z tej perspektywy, należałoby rozpocząć od tej samotności, którą można by nazwać samotnością metafizyczną. Jest to samotność człowieka wobec ogromu świata, przestrzeni i czasu – i naszej w nich przemijalności. Samotność metafizyczna wypływa z niemożliwości pełnego przywiązania się do teraźniejszości, tęsknoty za przeszłością, pokładania nadziei w przyszłości. Kierkegaard określił ją jednym słowem: „nieporozumienie" – nieporozumienie związane z naszym istnieniem. „Samotny i porzucony samemu sobie stoi [człowiek] wobec ogromu świata, bez teraźniejszości, do której mógłby się przywiązać, bez przeszłości, do której mógłby tęsknić, gdyż jego przeszłość jeszcze nie nadeszła, bez przyszłości, z którą mógłby wiązać nadzieje, gdyż jego przyszłość już minęła. Samotny stoi wobec całego świata jako wobec tego Innego, z którym jest w konflikcie, gdyż cały świat poza nim jest dla niego jedną osobą i ta osoba, ten jedyny narzucający się przyjaciel, to jest Nieporozumienie. Nie może się postarzeć, gdyż nigdy nie był młodym; nie może być młodym, gdyż już się postarzał; nie może w pewien sposób umrzeć, bowiem nigdy nie żył; nie może w pewnym sensie żyć, gdyż już dawno umarł"[23].

Samotność człowieka wynika także z faktu jego przemijalności. Jest zanurzony w czasie, w czasie ma swój kres. Nikt nie może nikogo zastąpić i nikt nie może przejść razem z nim granicy czasu. Nie tylko więc nieskończoność granic wszechświata i przypadkowość występujących

[23] S. Kierkegaard, *Albo – albo*, dz. cyt., t. I, s. 257–258.

w nim zdarzeń, ale i przemijalność jest źródłem samotności metafizycznej. Co oznacza samotność w czasie? Samotność nie wypływa stąd, że przemijamy sami i sami musimy przekroczyć granicę czasu, lecz że nie potrafimy pogodzić się z tą przemijalnością. Samotność to poczucie nieubłagalności przemijania, to świadomość niemożliwości poradzenia sobie z czasem.

Sytuacja człowieka żyjącego w czasie, to sytuacja kogoś zamkniętego w labiryncie bez wyjścia. Żyjemy w skończonym, zamkniętym labiryncie świata, w którym każda droga, właśnie ze względu na skończoność tego labiryntu, jest taka sama, gdyż żadna nie prowadzi na zewnątrz. Cokolwiek wybierzemy: „albo-albo", nie ma żadnego znaczenia. Pisał Kierkegaard w *Kazaniu ekstatycznym*: „Ożeń się, będziesz tego żałował; nie żeń się, będziesz tego także żałował; żeń się lub nie żeń, będziesz i tego, i tego żałował, albo się ożenisz, albo nie ożenisz, będziesz żałował i tego, i tego. Śmiej się z tarapatów życia, będziesz tego żałował; płacz nad nimi, będziesz także tego żałował; śmiej się czy płacz z tarapatów życia, będziesz i tego, i tego żałował: albo będziesz się śmiał, albo będziesz płakał, będziesz żałował i tego, i tego. Zawierz dziewczynie, będziesz tego żałował; nie wierz dziewczynie, będziesz tego żałował; wierz czy nie wierz dziewczynie, będziesz i tego, i tego żałował; czy uwierzysz, czy nie uwierzysz dziewczynie, będziesz tego żałował. (...) Taka jest, panowie, treść mądrości życiowej (...). Wielu myśli, że są w tym samym stanie, kiedy uczyniwszy to i owo łączą czy też mediatyzują sprzeczności. Ale to jest nieporozumienie; gdyż prawdziwa wieczność nie leży w »albo-albo«, ale poza wyborem. Wasza wieczność będzie więc tylko bolesną sumą kawałków czasu i będziecie mieli podwójny żal, pochłaniając ją"[24].

Życie człowieka, składające się z poszczególnych wydarzeń, jest właśnie jak bolesna suma kawałków, z których w żaden sposób nie da się ułożyć drogi prowadzącej poza samotność. Pragnąc pokonać samotność, dokonujemy licznych zmian: zmieniamy miejsca pobytu, przeżywamy kolejne wrażenia, łączymy się i rozstajemy z ludźmi. Ale z punktu widzenia czasu nie ma to żadnego znaczenia. Wszelka zmiana w niczym bowiem nie zmienia tego, co najistotniejsze: natury samego czasu. Obojętnie więc, gdzie się przemieszczamy, co czynimy, czy jesteśmy towarzyscy, czy też mamy naturę samotników, możemy powtórzyć za Koheletem: *nihil novi sub sole* – wciąż odkrywamy „to samo" i wciąż jesteśmy samotni. Czas jest labiryntem, w którym każda droga prowadzi donikąd. Na naszą samotność metafizyczną nie ma więc wpływu to, czy jesteśmy z innymi, czy też nie, choć wspólnota może łagodzić samotność. Być może łatwiej przemijać razem. Nie ma jednak znaczenia, czy jesteśmy związani z innymi, czy też żyjemy osobno, gdyż i tak nie potrafimy poradzić sobie z przemijalnością.

Samotność metafizyczna jest odczuwana raz mniej, raz bardziej dojmująco. Na jej odczuwanie wpływa wiek życia człowieka, jego psychika, ale też, jak zauważył Antoni Kępiński, pogłębia się ona jeszcze przez „depresyjny klimat naszej epoki". Człowiek oderwany od swej tradycji i od przeszłości czuje się samotny w czasie, w przestrzeni i w chaosie związków przyczynowych. „Depresyj-

[24] Tamże, s. 41–42.

ny klimat naszej epoki można by między innymi tłumaczyć gwałtownym naruszeniem dotychczasowych systemów społecznych i kulturalnych. Na skutek rozbicia dotychczasowych struktur zachwiane zostało poczucie nie tylko metafizycznej, kulturalnej, społecznej, lecz także biologicznej ciągłości życia ludzkiego. Człowiek został oderwany od swej tradycji i od swej przyszłości. Poczuł się samotny w czasie, w przestrzeni i w chaosie związków przyczynowych. Zamiast porządku panują w świecie przypadek i prawa statystyczne. Samotność ta (alienacja) stoi w sprzeczności z biologicznie uwarunkowanym poczuciem ciągłości życia. Człowiek musi wiedzieć, skąd przyszedł i dokąd zmierza, gdyż taka jest jego natura"[25].

Kolejnym rodzajem samotności jest ta związana z konkretnym miejscem: samotność fizyczna, fizyczne odosobnienie, izolacja. Samo określenie „izolacja" wskazuje na oddzielne, odosobnione miejsce. Ktoś zostaje zamknięty w więzieniu, w izolatce, deportowany w miejsce odludne, mieszka w domu gdzieś poza osiedlem, znajduje się sam lub żyje samotnie w miejscu, w którym inni zazwyczaj żyją razem. Samotność fizyczna, jak była już o tym mowa, nie musi jednak nieuchronnie rodzić poczucia osamotnienia.

Inaczej jest w przypadku samotności psychicznej, która jest poczuciem osamotnienia spowodowanym utratą – zarówno przez śmierć, jak i odrzucenie – bliskiej, kochanej i znaczącej osoby. Miejsca tej osoby, już nie tyle fizycznego, co obecnego raczej w nas samych, w naszym życiu, nikt nie jest w stanie zająć. Samotność ta jest najbardziej dojmująca i rodzi najwięcej cierpienia. Nieraz

[25] A. Kępiński, *Melancholia*, Warszawa 1979, s. 262–263.

takie poczucie osamotnienia trwa w kimś aż do jego własnej śmierci. Samotność psychiczna jest także często negatywnym skutkiem dużej popularności i sławy. Choć może to wydawać się paradoksalne, im ktoś znajduje się wyżej w hierarchii społecznej, tym bardziej odczuwa „ciśnienie samotności". Z człowiekiem cieszącym się dużą sławą jest jak ze znanym skrzypkiem, który w wypełnionej po brzegi filharmonii wykonał swój koncert i zakończył go przy pełnym aplauzie publiczności. Znaki uznania skończyły się jednak tak szybko, jak się pojawiły, sala koncertowa opustoszała, a on odszedł sam do swojej garderoby. I wówczas, być może, ważniejszy od wiwatujących tłumów okazał się ten jeden człowiek, który zapukał do jego drzwi, by spotkać się z nim – już nie ze znanym skrzypkiem, ale z człowiekiem.

Samotności psychicznej nie musi więc towarzyszyć samotność fizyczna. Psychicznie samotność można odczuwać także w tłumie.

Kolejny krąg samotności stanowi samotność moralna. Jest to poczucie braku związku z wartościami, symbolami i wzorami: wewnętrzna, duchowa pustka. Samotnym w rozumieniu moralnym nie jest więc mnich w celi, pozostający w duchowej więzi z Bogiem i innymi ludźmi, czy więzień polityczny zjednoczony duchowo ze swoimi towarzyszami.

Jeszcze inny rodzaj samotności związany jest z naszym własnym indywidualnym istnieniem. Dlatego tę samotność możemy określić mianem samotności istnienia lub samotności ontologicznej. Człowiek jest samotny, ponieważ stanowi odrębną, niepowtarzalną jednostkę. Samotność nie jest w tym przypadku zerwaniem więzi z innymi, gdyż jest wcześniejsza od jakichkolwiek więzi. Wynika z nieprzekazywalnego związku z własnym istnieniem. Jesteśmy samotni przez to, że jesteśmy. Im ktoś bardziej jest „sobą samym", tym bardziej jest „samotny". Istnienie poszczególnych ludzi przypomina jednoosobowe łodzie, w których nikt inny już się nie zmieści. Jesteśmy samotni na bezkresnym oceanie istnienia, „samotni pod niekończącym się nieboskłonem"[26]. W pełni sobą każdy może być więc dopóty, dopóki jest sam. Takiej samotności istnienia doświadczamy szczególnie wówczas, gdy nikt nie może nas zastąpić w naszych przeżyciach i doznaniach. Karl Jaspers określił je kiedyś jako sytuacje graniczne: cierpienie, miłość, poczucie winy, śmierć. Właśnie wówczas doświadczamy tego, że nikt nie może stanąć na naszym miejscu. A doświadczając niepowtarzalności swego istnienia, doświadczamy także najwyższej samotności.

Pośród wszystkich doświadczeń granicznych tym, w którym doświadczenie samotności wydaje się być najgłębsze, jest umieranie. Samotność umierania odsłania nam zarówno samotność metafizyczną, jak i samotność ontologiczną. „Nie ma większej samotności niż w oczach umierającego, i nie ma bardziej upartego, dumnego odosobnienia niż to, które maluje się na zastygłym obliczu zmarłego"[27]. Lęk przed samotnością ujawnia ostatecznie ukryty w nim głębszy pokład lęku przed śmiercią. „Lęk przed samotnością byłby zatem zbliżony do lęku przed śmiercią – pisał Kępiński. Pośrednio bowiem samotność równa się śmierci. Dlatego noc, gdy człowiek z konieczności staje się samotny, kojarzy się tak często ze śmiercią.

---

[26] S. Kierkegaard, *Albo – albo*, dz. cyt., t. II, s. 110–111.
[27] F. Rosenzweig, *Gwiazda Zbawienia*, dz. cyt., s. 148.

Noc jest symbolem śmierci. Śmierć jest snem wiecznym. Prawdopodobnie lęk przed samotnością tkwi głęboko w człowieku, występuje on wyraźniej w dzieciństwie, a także we wszystkich stanach nerwicowych. W dzieciństwie człowiek z natury rzeczy jest słabszy, a w nerwicy siła jego słabnie na skutek nerwicowej dezintegracji. *Non timebis a timore nocturno*. Noc zbliża człowieka do nieznanego, do tego, co w nim i w świecie otaczającym skryte, co ginie w świetle dnia, a odsłania swą twarz dopiero w nocy. Lęk przed samotnością nocy jest lękiem przed nieznanym. Jest lękiem przed zagładą bytu"[28]. Śmierć jest idealnym stanem osamotnienia. Jest bowiem ostatecznym milczeniem. Równocześnie jednak wydaje się być także możliwą obietnicą ostatecznego przezwyciężenia samotności.

PRZEZWYCIĘŻENIE SAMOTNOŚCI

Samotność metafizyczna (której doświadczamy tylko w wyjątkowych chwilach życia), samotność ontologiczna, a przede wszystkim osamotnienie są trudne do udźwignięcia. Dlatego człowiek, który nie usiłuje pokonać samotności, próbuje od niej uciec. Ucieczkę od samotności traktuje jako próbę poradzenia sobie z nią. „Nasza cywilizacja oferuje wiele paliatywów, które pomagają ludziom nie uświadamiać sobie własnej samotności – pisał Erich Fromm. – Na pierwsze miejsce wysuwa się ścisła rutyna zbiurokratyzowanej, zmechanizowanej pracy, która pomaga nie dopuszczać do głosu nawet

---

[28] A. Kępiński, *Lęk*, Warszawa 1977, s. 87–88.

najbardziej podstawowych ludzkich pragnień, tęsknoty za wyjściem poza samego siebie i za zespoleniem. Jeśli nie wystarcza tu sama rutyna pracy, człowiek pokonuje swoją nieuświadomioną rozpacz przy pomocy rutyny rozrywek, biernego konsumowania dźwięków i obrazów, jakie stawia mu do dyspozycji przemysł rozrywkowy, następnie przez zadowolenie, jakiego mu dostarcza nabywanie wciąż nowych rzeczy i szybkie wymienianie ich na inne. Dzisiejszy człowiek jest naprawdę bliski obrazu, jaki nakreślił Huxley w swym *Nowym wspaniałym świecie*: dobrze odżywiony, dobrze ubrany, zaspokojony seksualnie, a jednak nieposiadający swego ja, bez żadnych, prócz bardzo powierzchownych, kontaktów z bliźnimi"[29].

Z kolei ucieczka od samotności ontologicznej jest ucieczką od siebie samego. Człowiek ucieka od siebie, gdyż lęka się własnej winy, wolności czy odpowiedzialności. Jest to ucieczka w bezosobowość. Bezosobowość jest tą formą egzystencji, w której „s i ę żyje", „tak a tak s i ę postępuje" i „co prawda s i ę umiera", ale nie dotyczy to osobiście nikogo.

Ucieczka od samotności jest ucieczką od prawdy. Najpierw od prawdy o sobie samym jako człowieku w ogóle, o istocie osamotnionej w przestrzeni i przemijającej w czasie. Następnie od prawdy o sobie samym jako niepowtarzalnej i jedynej osobie. Nie koniec jednak na tym. W istocie ucieczka od samotności nie jest możliwa. Każda ucieczka jest bowiem wepchnięciem samego siebie w jeszcze głębszą samotność. Od samotności nie można uciec. Kiedy natomiast potrafimy ją znieść, możemy usiłować ją prze-

---

[29] E. Fromm, *O sztuce miłości*, przeł. A. Bogdański, Warszawa 1992, s. 76.

zwyciężać. Tym, co pozwala ją przezwyciężyć, jest bliskość, spotkanie, miłość. Człowiek nie jest powołany do samotności, ale do bliskości z innymi. Osamotnienia, opuszczenia nie pokonuje się jednak przez bycie „z" drugim, ale „dla" drugiego. Człowiek zbliża się do człowieka w takiej mierze, w jakiej darowuje mu siebie samego. Skoro samotnym można być także z innymi, wynika z tego, że samotności nie przezwycięża jedynie pojawienie się innych ludzi. „Bo nie sam widok człowieka jako człowieka kładzie kres samotności, lecz widok człowieka uczciwego, sumiennego i skorego do niesienia pomocy"[30] – pisał Epiktet. Samotności, powtórzmy, nie można więc pokonać zwyczajnymi związkami komunikacji i porozumienia, lecz tylko autentycznym spotkaniem człowieka z człowiekiem, które jest prawdziwym darem.

Problem człowieka nie polega zatem na tym, czy żyje on sam, czy z innymi, ale czy żyje dla innych. By żyć dla innych musi jednak umieć także żyć dla siebie samego. Żyć dla siebie samego – oto czym jest istota samotności. Jeśli zatem człowiek ma darować siebie samego innym, musi przejść przez chwile własnej samotności, odosobnienia. W darze spotkania nie chodzi bowiem przecież o kogokolwiek – chodzi o mnie i o ciebie.

Więzi międzyludzkie są darem. Człowiek jako jedyna wolna istota, może zostać opuszczony przez innych. Ale może także jako jedyna istota odwrócić kierunek swego własnego dramatu, podejmując wysiłek przemiany swego opuszczenia w więź. To jedyna szansa, aby poprzez zawierzenie i dar nadać sens swojej samotności.

---

[30] Epiktet, *Diatryby. Encheiridion*, dz. cyt., s. 252.

SPOTKANIE

> W spotkaniu z drugim nasze poszukiwania albo się rozminą, albo się odnajdą. Jeżeli odnajdziemy się nawzajem, on stanie się pełnym człowiekiem dzięki mnie i ja stanę się pełnym człowiekiem dzięki niemu[1].

Kultura przełomu wieków jedynie pozornie jest kulturą wyczuloną na doświadczenie inności. W istocie jest i pozostaje kulturą różnicy, w której powierzchownie jesteśmy gotowi tolerować odmienność kulturową, rasową czy religijną, natomiast wciąż zbyt rzadko jesteśmy zdolni spotkać innego jako innego. Współczesna technika mnoży i doskonali środki, które – jak mogłoby się wydawać – pozwolą nam zbliżyć się do innego. A jednak doświadczenie autentycznego spotkania z innym jest czymś niezwykle rzadkim, a świadomość tego jest tym bardziej dojmująca, im więcej mamy możliwości nawiązania kontaktu. Komunikujemy się między sobą, ale tak naprawdę pozostajemy całkowicie sami.

Tylko autentyczne spotkanie pozwala przezwyciężyć samotność. Człowiek nie może bowiem być sobą, nie otwierając się na to, co od niego inne, szczególnie na innych ludzi. Osoba ludzka jest dialogiczna. „Właśnie dlatego, że jestem osobą i że wypowiadam się sam przed sobą,

---

[1] J. Tischner, *Etyka wartości i nadziei*, w: *Wobec wartości*, Kraków 1982, s. 58.

staram się komunikować z tym, co jest inne, i z innymi ludźmi, aby poznać i kochać. Dla osobowości istotne jest szukanie dialogu, i to takiego dialogu, w którym ja rzeczywiście daję siebie i w którym jestem przyjmowany"[2] – pisał Jacques Maritain. Podobnie twierdził inny z personalistów, Emmanuel Mounier: „Osoba istnieje tylko zwracając się ku drugiemu człowiekowi, tylko poprzez drugiego człowieka może siebie poznać, tylko w drugim człowieku może siebie odnaleźć. Pierwotnym doświadczeniem osoby jest doświadczenie drugiej osoby. »Ty«, a z nim »my« poprzedza »ja« lub co najmniej temu »ja« towarzyszy. Wyłączność panuje jedynie w naturze materialnej (i jesteśmy jej częściowo podporządkowani), ponieważ jedna przestrzeń nie może być dwukrotnie zajęta. Osoba jednak poprzez ten sam ruch, który jej każe istnieć, zwraca się na zewnątrz. Jest ona więc z natury komunikowalna, jedyna pośród innych bytów. Trzeba wychodzić od tego podstawowego faktu. Jak filozof zamykający się w swojej myśli nie dociera nigdy do bytu, tak człowiek, który od początku zamyka się w swoim »ja«, nie znajduje nigdy dojścia do drugiego człowieka. Z chwilą kiedy łączność wzajemna słabnie albo kiedy się zrywa, zatracam się dogłębnie sam: wszystkie szaleństwa polegają na klęsce stosunków z drugim człowiekiem – *alter* staje się *alienus*, z kolei ja sam staję się dla siebie obcy, wyalienowany. Można by niemal powiedzieć, że istnieję jedynie w takim stopniu, w jakim istnieję dla kogoś drugiego, względnie: być – znaczy kochać"[3].

---

[2] J. Maritain, *Pisma filozoficzne*, przeł. J. Fenrychowa, Kraków 1988, s. 334.

[3] E. Mounier, *Wprowadzenie do egzystencjalizmów*, przeł. A. Bukowski, Warszawa 1964, s. 37.

Istnienie ludzkie ma charakter dialogiczny. Wyobraźmy sobie położenie kogoś, kto znalazł się w nowym środowisku, w nieznanym otoczeniu, wśród obcych sobie osób. Nikt do niego nie zwraca się po imieniu, nikt od niego niczego nie chce, nikt nawet na niego nie patrzy. Istnieje i jednocześnie nie istnieje. Jest jak kamień, jak rzecz. Osobą jest bowiem tylko w takiej mierze, w jakiej istnieje „dla" kogoś innego, dla innej osoby. Właśnie to „dla" jest istotą spotkania.

WYDARZENIE

Słowo „spotkanie" ma także sens potoczny. Mówimy bowiem na przykład, że spotkaliśmy się ze znajomym, że idziemy na spotkanie przedwyborcze, że boimy się spotkania z pracodawcą. W swoim najgłębszym wymiarze spotkanie ma jednak sens metafizyczny. Dlatego nie sprowadza się do konwencjonalnego pozdrowienia znajomego, którego właśnie szybko mijamy na ulicy. Znakomitych obrazów spotkania dostarcza nam Biblia. Spotkanie Jezusa z Samarytanką czy spotkanie syna marnotrawnego z ojcem to spotkania, które niosą w sobie coś wyjątkowego. W naszym życiu takie spotkanie wydarza się być może raz, a być może nie wydarzy się nigdy. Dlatego tragizm człowieka polega na tym, że może on przeżyć życie i nigdy nie doświadczyć, czym jest autentyczne spotkanie.

Spotkanie jest wydarzeniem. Nie można go zaplanować ani przewidzieć, zaskakuje nas. Nie tylko nie potrafimy przewidzieć, czy dojdzie do spotkania, ale także – jak będzie ono przebiegać. Spotkanie jest bowiem darem, który wypływa z wolności. Aby zrozumieć, na czym polega jego wydarzeniowy charakter, wystarczy porównać ze sobą dialog sokratejski i dialog autentycznego spotkania. Sokrates tylko pozornie prowadził dialog ze swym rozmówcą. Znał bowiem naprzód kolejne etapy rozmowy i jej cel. Rola Sokratesa była raczej rolą hermeneuty, który pomagał rozmówcy wydobyć tkwiącą w nim prawdę. W prawdziwym dialogu partnerzy nie wiedzą, co się wydarzy, jak potoczy się rozmowa. Nie wiedzą, co mają mówić, gdyż nie wiedzą, jakie padnie pytanie i czy w ogóle ono padnie. Emmanuel Lévinas zobrazował tę wydarzeniowość spotkania metaforą wędrówki Abrahama, której przeciwstawił wędrówkę Odysa. Między Abrahamem i Odysem istnieje pewne podobieństwo: obydwaj opuścili swą ziemię ojczystą – jeden chaldejskie Ur, drugi Itakę – i obydwaj całe życie wędrowali. O ile jednak Odys wiedział, że jego wędrówka prowadzi go znów do ojczystej Itaki, że zamknie się linią koła, o tyle Abraham nie wiedział, dokąd idzie. Witał i gościł na swej drodze boskich wysłańców, ale nie szedł prowadzony przez wiedzę, jak Odys, lecz przez wiarę i ufność. Dialog pozorny odbywa się w żywiole wiedzy, w którym wymiana słów staje się czymś na podobieństwo relacji między przyczyną i skutkiem, a rozmówcy, umocnieni swymi racjami, powracają do miejsca, z którego wyszli. Prawdziwy dialog domaga się otwarcia, opuszczenia swej ziemi rodzinnej, wymaga nadziei i ufności.

„Człowiek nie jest w stanie zapewnić sobie takiego spotkania, jakiego by sobie życzył – pisze Romano Guardini. – Spotkania z kimś, kto stanowiłby jego własne dopełnienie. Człowiek może tylko szukać, lecz jest zawsze mało prawdopodobne, żeby to poszukiwanie zwiększało szansę znalezienia. W tym wypadku poszukiwanie jest czymś niewłaściwym. Tam bowiem, gdzie chodzi o realizację celów duchowych, każde zaplanowane z góry działanie, każdy określony zamiar, mogą tylko sprawie zaszkodzić, ponieważ pomniejszają one i usztywniają człowieka. W tym wypadku słuszna jest tylko jedna postawa: postawa bezinteresownej gotowości. Stanowi ona dostateczny zew bytu, nie mając wszakże nic wspólnego z jakąkolwiek rachubą i planowaniem. Każde prawdziwe spotkanie stanowi zawsze »przypadek«. Pociąg się spóźnił i nie spotkałem tego, kogo chciałem spotkać, chociaż niczego nie zaniedbałem. A kiedy indziej, chociaż zaniedbam to i owo, a może i właśnie dlatego, spotykam. Omawiany rodzaj przypadku ma jednak pewien szczególny charakter, ponieważ gdy już się zdarzy i gdy już moje spotkanie dojdzie do skutku, doznaję natychmiast uczucia, które można by wyrazić słowami: »przecież nie mogło być inaczej«, »musieliśmy« przecież na siebie trafić, byliśmy dla siebie przeznaczeni – aż po takie metafizyczne uczucia, jakie wyraża Arystofanes w *Uczcie* Platona, gdy mówi o ziemskim rozbiciu jedności człowieka na dwie płci, które przeto muszą poszukiwać nawzajem swojej drugiej połowy, aby tę jedność osiągnąć (...). I w tym tkwi element »łaski«, wypełnia się coś, czego nie można wymagać, czego nie można obliczyć ani wymusić, a co przecież zawiera w sobie swój sens. To jest człowiekowi niezbędne do życia, jednocześnie jednak na to człowiek nie ma wpływu. Niestety nie potrafimy powiedzieć, skąd możemy się spodziewać możliwości otrzymania tego. Odczuwamy wprawdzie rodzaj zbieżności wszystkich linii wydarzeń, co wydaje się wskazywać na istnienie pewnego jednego punktu wyjścia dla tego rodzaju zjawisk, ale nie jesteśmy w stanie sami tego punktu osiągnąć"[4].

Nie można wskazać jakichkolwiek jednoznacznych okoliczności warunkujących spotkanie. Właśnie dlatego, że jest ono wydarzeniem, może być rozpatrywane jako przypadek. Można powiedzieć, że przypadkiem było to, iż Samarytanka nabierała wody w chwili, w której Jezus odpoczywał przy studni. Istnieją jednak warunki spotkania, które zależą od nas samych. Spotkanie jest doświadczeniem absolutnie bezpośrednim. By mogło się wydarzyć, musi nastąpić deformalizacja.

BEZPOŚREDNIOŚĆ

Człowiek może „spotykać" drugiego człowieka w pracy, na ulicy lub też realizując z nim wspólne dążenia, jak w przypadku lekarza i pacjenta, nauczyciela i ucznia. W tych wypadkach jednak drugi nie jest dla mnie „ty", gdyż staję wobec niego nie jako „ja", ale jako podmiot określonych dążeń. Zajmuję postawę poznającego i działającego podmiotu, drugi zaś jest dla mnie przedmiotem owego poznania i działania. Może on stać się „ty" dopiero wtedy, gdy zniknie prosty stosunek podmiotu do przedmiotu.

Jeśli spotkanie jest bezpośrednie, to znaczy, że wiele naszych codziennych form obcowania z innymi nie stanowi spotkania. Spotkanie bowiem nie dokonuje się

[4] R. Guardini, *Koniec czasów nowożytnych*, dz. cyt., s. 306–307.

w żadnej formie, tym bardziej w formach społecznych konwencji czy pełnionych funkcji. Nie jest międzyludzką relacją opartą na wiedzy, w której innego utożsamia się z jego zawodem, urzędem, narodowością czy społecznymi rolami. Spotkanie dokonuje się bezpośrednio, „twarzą w twarz". Ową bezpośredniość spotkania bardzo pięknie przedstawia przypowieść o miłosiernym Samarytaninie. Kapłan i lewita nie spotkali leżącego przy drodze, pobitego i wołającego o pomoc człowieka, gdyż reprezentowali jedynie pełnione przez siebie funkcje religijne i społeczne. Spotkał go Samarytanin, którego współczucie było współczuciem kogoś całkowicie obcego, nieodwołującego się do swego stanowiska, funkcji, roli społecznej i narodowości. Spotkał go jak człowiek człowieka.

Takie bezpośrednie spotkanie ukazuje też Jan Twardowski w wierszu *Do moich uczniów*:

Uczniowie moi, uczennice drogie
ze szkół dla umysłowo niedorozwiniętych,

Jurku z buzią otwartą, dorosły głuptasie –
gdzie się teraz podziewasz, w jakim obcym tłumie –
czy ci znów dokuczają, na pauzie i w klasie –

Janko Kąsiarska z rączkami sztywnymi,
z nosem, co się tak uparł, że pozostał krótki –
za oknem wiatr czerwcowy z pannami ładnymi

Pamiętasz tamtą lekcję, gdym o niebie mówił,
te łzy, co w okularach na religii stają –
właśnie o robotnikach myślałem z winnicy,
co wołali na dworze: Nikt nas nie chciał nająć

Janku bez nogi prawej, z duszą pod rzęsami –
garbusku i jąkało – osowiały, niemy –

Zosiu, coś wcześnie zmarła, aby nóżki krzywe –
szybko okryć żałobnym cieniem chryzantemy

Wiecznie płaczący Wojtku i ty, coś po sznurze
drapał się, by mi ukraść parasol, łobuzie,
Pawełku z wodą w głowie, stary niewdzięczniku,
coś mi żabę położył na szkolnym dzienniku

Czekam na was, najdrożsi, z każdą pierwszą gwiazdką –
z niebem betlejemskim, co w pudełkach świeci –
z barankiem wielkanocnym – bez was świeczki gasną –
i nie ma żyć dla kogo.

Ten od głupich dzieci[5]

Bezpośredniości spotkania staje na przeszkodzie naturalna skłonność człowieka do ukrywania się pod maskami funkcji, stanowisk, stereotypów. Maski mogą uczestniczyć jedynie w grze. Dlatego większość relacji międzyludzkich jest konwencjonalną grą osób ukrytych pod ochronnymi maskami. Spotkanie nie jest możliwe bez ryzyka pełnego otwarcia. „Jeśli wam gdzieś nie otworzono drzwi, nic nie straciliście. Lecz tam, gdzie was przyjęto przyjaźnie i z honorami, możecie, a wręcz powinniście, jeśli chcecie się przyzwoicie zachować, doznawszy przez chwilę gościnności ofiarowanej w formie konwencjonalnego wprowadzenia i uprzejmości, któregoś dnia, w stosownej godzinie, zdjąć maskę ze swego oblicza i w ten sposób doprowadzić do owego przełomowego mo-

[5] J. Twardowski, *Wiersze*, dz. cyt., s. 29–30.

mentu, w którym konwencjonalny kontakt przemieni się w kontakt osobisty – albo i nie. Z pełną świadomością, że tym, pewnego dnia koniecznym, aktem prawdy ryzykuje się utratę beztrosko dotąd smakowanych uroków kontaktów towarzyskich"[6] – pisał Rosenzweig.

Bezpośredniość sięga jednak jeszcze głębiej. Nie chodzi w niej bowiem tylko o odrzucenie wszelkich masek skrywających człowieczeństwo, ale także o przezwyciężenie wszelkich form uogólniających, czyniących z człowieka jakiś, być może nawet wyjątkowy, ale tylko – przypadek wśród innych przypadków. Spotkanie zaczyna się od przejścia od formuły „on" do formuły „ty". „Gdy określam kogoś słowem »on« – pisał Gabriel Marcel – traktuję go jako w gruncie rzeczy nieobecnego; jego nieobecność pozwala mi go zobiektywizować, rozprawiać o nim jako o danej naturze lub istocie. Istnieje wszakże obecność, która jest formą nieobecności. Mogę zachowywać się wobec kogoś tak, jakby był nieobecny"[7]. „Ty" nie jest bowiem przedmiotem, o którym mówimy, lecz kimś, do kogo mówimy. Tylko w bezpośredniości mówienia „do" inny może być obecny. Obecny takim, jaki jest. Spotykamy kogoś dlatego, że jest, a nie dlatego, że jest taki lub inny, że posiada taki a nie inny kolor skóry, że ma takie a nie inne wykształcenie, że należy do jakiejś grupy społecznej. To wszystko są elementy, od których nie potrafimy uciec, bo za ich pomocą porozumiewamy się w kulturze. Ale spotkanie prawdziwe polega na czymś innym.

---

[6] F. Rosenzweig, *Nowe myślenie*, dz. cyt., s. 57.

[7] G. Marcel, *Od sprzeciwu do wezwania*, przeł. S. Ławicki, Warszawa 1965, s. 47–49.

Elementy poznawcze stają się w nim przeszkodą. „Mogę wyodrębnić barwę jego włosów, barwę jego mowy albo barwę jego dobroci – pisał Martin Buber – lecz nie jest on już wtedy Ty”[8].

Bezpośredniość spotkania rozsadza zatem także wszelkie pojęciowe i słowne formy, w jakich ujmujemy człowieka jako egzemplarz gatunku. „Ty”, które odsłania się tylko w spotkaniu, jest absolutne. Nie graniczy z żadnym innym „ty” i nie jest z nim porównywalne. Jest absolutne w tym sensie, że jest całym światem, jest wszystkim. Jest poza przestrzenią i czasem. I dopiero ta absolutność nadaje sens ogólnym cechom i przymiotom innego. I ona także nie pozwala nam tych cech i przymiotów uprzedmiotowić. „Gdy staję naprzeciw człowieka jako mojego Ty, gdy wypowiadam doń podstawowe słowo Ja-Ty, nie jest on rzeczą pośród rzeczy i nie składa się z rzeczy. Nie jest on Nim lub Nią, ograniczonym przez innego Niego lub Nią, punktem naniesionym na sieć świata z przestrzeni i czasu, nie jest też ukształtowaniem dającym się doświadczyć i opisać, luźną wiązką określonych właściwości. Bez sąsiadów i niepodzielny, jest on Ty i wypełnia horyzont. Nie tak, iżby poza nim nic nie istniało: wszystko inne żyje w jego świetle. Melodia nie składa się z dźwięków, wiersz nie składa się ze słów, a posąg z linii – trzeba je bowiem szarpać i rwać, by z ich jedności sporządzić wielość; tak samo z człowiekiem, do którego mówię Ty. (...) Jak modlitwa nie jest w czasie, lecz czas w modlitwie, jak ofiara nie jest w przestrzeni, lecz przestrzeń w ofierze

---

[8] M. Buber, *O Ja i Ty*, przeł. J. Doktór, w: *Filozofia dialogu*, wybrał i oprac. B. Baran, Kraków 1991, s. 40.

– a kto odwraca tę relację, znosi rzeczywistość – tak samo nie spotykam kiedyś i gdzieś człowieka, do którego mówię Ty. Mogę go umieścić w czasie i przestrzeni, muszę ciągle na nowo to czynić, ale wtedy jest to już tylko jakieś On, jakaś Ona, jakieś To, a nie moje Ty"[9].

Bezpośredniość spotkania odsłania jednak nie tylko jedyność i absolutność innego, lecz także, jak przypomniał to Lévinas, jego słabość, bezradność i pragnienie dobra.

DOBRO

Tym, co spotykamy, jest – według Lévinasa – twarz. Twarzy nie da się sprowadzić do opisujących przymiotów (blondyn, ale pośród blondynów, wysoki, ale pośród wysokich, wykształcony, ale pośród tych, którzy ukończyli studia). „Sądzę raczej, że dostęp do twarzy jest od razu etyczny. Gdy widzi Pan nos, oczy, czoło, brodę drugiego i gdy potrafi je Pan opisać, oznacza to, że zwracamy się do niego jako do przedmiotu. Najlepszy sposób poznania drugiego to taki, w którym nie zauważymy nawet koloru jego oczy! Gdy obserwujemy kolor oczu, nie jesteśmy w relacji społecznej z drugim. To, co jest w sposób specyficzny twarzą, nie sprowadza się do percepcji, mimo że relacja z twarzą może być przez nią zdominowana"[10]. Twarz nie jest czymś, co się poznaje. Jest czymś, co wyraża indywidualność i niepowtarzalność innego. Uobecnia

---

[9] Tamże.

[10] E. Lévinas, *Etyka i Nieskończony*, przeł. B. Opolska-Kokoszka, Kraków 1991, s. 49.

się jedynie w wymiarze etycznym, jednocześnie jako opór i wezwanie. Z jednej strony, ustanawia granicę przymusu, jaki możemy wywrzeć. Możemy zabić innego, ale nie możemy odebrać mu twarzy. Inny, tracąc życie, może ocalić swą twarz. Rzecz nie ma twarzy, dlatego w stosunku do rzeczy możemy używać przemocy. Ludobójstwo w XX wieku było możliwe na tak kolosalną skalę, ponieważ sprowadzono ludzi do poziomu rzeczy, traktowano ich jak materiał do zniszczenia. Inny przestał być wrogiem, z którym się walczy, stał się pozbawionym twarzy materiałem.

Twarz jednak nie tylko stawia opór, lecz jednocześnie stanowi wezwanie etyczne, do czegoś mnie wzywa. Nie tylko – bym nie zabił innego, ale także – bym nie pozostawił go samemu sobie, szczególnie wobec śmierci. Twarz jest wyrazem ubóstwa i ogołocenia. Lévinas wyraził to w formie trzech biblijnych metafor. Inny, który „ukazuje mi się" poprzez swoją twarz, jest wdową, sierotą, cudzoziemcem. Co oznaczają te metafory? Wdowa to ktoś, kto został opuszczony. Twarz innego mówi mi o opuszczeniu. Sierota to ktoś, kto jest pozbawiony opieki. Twarz innego wzywa mnie do tego, bym się nim zajął, zaopiekował. I wreszcie cudzoziemiec, czyli ten, kto nie jest stąd. Twarz innego przypomina mi, że my naprawdę jesteśmy tutaj tylko przechodniami. Inny, kiedy patrzymy mu w twarz, przemija na naszych oczach, odchodzi. To wszystko stanowi fundamentalne wezwanie etyczne. Tak właśnie zaczyna się prawdziwe spotkanie.

Spotkanie zmienia życie człowieka w sposób radykalny. Nie pozwala nam żyć tak jak dotychczas. Budzi w nas bowiem pragnienie dobra. Nie wiemy jednak, co budzimy w innym. Dlatego spotkanie zawsze przesłonięte jest zasłoną tajemnicy. Przejawem tej tajemnicy jest także trudność w uchwyceniu granicy między przesadną ciekawością, która dąży do odsłonięcia całej prawdy o innym, a zbyt słabym zaangażowaniem w spotkanie.

Spotkania są jednak czymś wyjątkowym i krótkotrwałym. Nie są też nigdy doskonałe, gdyż samo istnienie człowieka jest nieprzejrzyste i tajemnicze. „Czyż stosunek człowieka do człowieka nie kryje w sobie w ogóle więcej tajemnic niż zazwyczaj przyznajemy? Nikt z nas nie może twierdzić, że naprawdę zna drugiego człowieka, nawet jeśli od lat z nim przebywa. Z tego zaś, co składa się na świat naszych wewnętrznych przeżyć, możemy nawet najbliższym odsłonić tylko ułamki. Ani my nie umiemy ukazać siebie w całości, ani oni nie byliby w stanie tej całości uchwycić. Wędrujemy obok siebie jak gdyby w półmroku, w którym nikt nie rozpoznaje dokładnie rysów drugiego człowieka. Tylko nieraz, dzięki przeżyciu, które nas zbliży z towarzyszem drogi, lub dzięki słowu, które między nami padnie, wyłania się na moment obok nas jak gdyby oświetlony błyskawicą. Wtedy widzimy go takim, jakim jest. Potem znów idziemy, niekiedy długo, w mroku obok siebie, daremnie próbując uchwycić swoje rysy”[11].

Żadne spotkanie nie jest jednak ostateczne, nie tylko dlatego, że nie potrafimy całkowicie zdjąć masek, zdobyć się na bezpośredniość i doświadczyć innego jako in-

---

[11] A. Schweitzer, *Człowiek wobec człowieka*, w: I. Lazari-Pawłowska, *Schweitzer*, Warszawa 1976, s. 76–77.

nego. Nieostateczność spotkania wynika z faktu, że nasza odpowiedź na wezwanie opuszczonego, pozbawionego opieki, obcego nigdy nie jest na miarę wezwania. Nigdy bowiem nie jesteśmy dość dobrzy. Dlatego rozstając się z innym, mówimy „do widzenia”, wyrażając nadzieję na następne spotkanie, aż po spotkanie ostateczne, które – jak pisał Lévinas – jest u Boga: do widzenia – *A Dieu!*

BÓG I NIHILIZM

> We współczesnej dyskusji nad duchową sytuacją świata pojęcie nihilizmu stało się często używanym hasłem, którego bezrefleksyjne i dowolne zastosowanie wywołuje niejednokrotnie wrażenie, że użytkownicy tego hasła wiążą z nim jedynie bardzo niejasne wyobrażenia albo w ogóle żadne i stosują pojęcie nicości jako pewnego rodzaju przezwisko, którym obrzucają przypadkowych politycznych, światopoglądowych, religijnych lub też kościelnych wrogów[1].

Pojęcie „nihilizm" używane bywa w odniesieniu do wszelkich możliwych przejawów kryzysu: wiary, religii, kultury, wartości, światopoglądu, polityki czy filozofii. Co więcej, nihilizm stanowi nie tylko określenie złożonego i rozległego duchowego kryzysu, ale także synonim filozofii i kultury nowożytnej oraz etykietę przydawaną wielu myślicielom współczesnym przez tych, którzy w powodzi współczesnego relatywizmu, pesymizmu czy liberalizmu szukają jasnej i pewnej prawdy oraz trwałego gruntu. Według „spiskowej historii filozofii", uprawianej najczęściej „na skróty" i bez znajomości rzeczy, „zdrowa filozofia" kończy się wraz ze średniowieczem, później zaś

[1] E. Benz, *Westlicher und ostlicher Nihilismus in christlicher Sicht*, Stuttgart 1919.

zaczyna się permanentny kryzys, który trwa przez całą nowożytność i uaktywnia się w XIX i XX wieku. Ten kryzys to właśnie nihilizm. Według takiej koncepcji historii filozofii, nihilistami są nie tylko Nietzsche, Stirner czy Sartre, ale także Kartezjusz, Kant i Hegel.

Jeśli nihilistycznej pustce, absurdowi, relatywizmowi przeciwstawiamy jasność, oczywistość i pewność prawdy, to wydaje się, że w ten sposób zakwestionowaniu musi ulec nawet myślenie. Być może bowiem samo myślenie jest w swej istocie nihilistyczne, gdyż zawsze problematyzuje, kwestionuje, neguje istniejące sensy, wciąż powraca do sokratejskiego „wiem, że nic nie wiem". Jeśli myślenie wychodzi od pytania, to pytanie wyraża przecież pustkę nie-wiedzy. Czy ma to oznaczać, że myślenie jest z konieczności narażone na pustkę nihilizmu? Czy lęk przed nie-pewnością, nie-wiedzą, nie-bytem nie jest wystarczającym powodem, by zanegować myślenie jako największe zagrożenie dla pewności prawdy i jasności widzenia? Być może sama wspomniana tu „spiskowa historia filozofii", w której myślenie zdaje się być nie-obecne, jest tworem tego rodzaju lęku.

Te wątpliwości są całkowicie oczywiste. Myśląc, szukamy przecież prawdy i pewności. Pustkę niewiedzy traktujemy jedynie jako punkt wyjścia ku pełni wiedzy. Czy pełnia ta jest jednak możliwa do osiągnięcia? Czy samo pytanie o prawdę rodzi się *ex nihilo*? Czy nicość jest bezdenną otchłanią, w której nie ma niczego, czy tajemnicą kryjącą w sobie byt i prawdę? Co rozstrzyga o tym, że jest otchłanią? Co decyduje, że jest tajemnicą skrywającą byt i prawdę? Namysł nad istotą negacji i nicości wydaje się niezbędny.

NIHILIZM

Nihilizm jest zjawiskiem bardzo trudnym do opisania, a jeszcze trudniej poddającym się jednoznacznemu zdefiniowaniu. Jak bowiem uchwycić w tych samych ramach nihilizm Nietzschego i Sartre'a, przeżycie absurdu u bohaterów powieści Camusa i samobójstwo Kiriłłowa z *Biesów* Dostojewskiego, faszyzm i ironiczną niezależność bezpostaciowego bohatera powieści Musila *Człowiek bez właściwości*? Wreszcie, jak te wszystkie przejawy nihilizmu odnieść do diagnoz Martina Heideggera?

Nihilizm ma wiele postaci. Z jednej strony może być nihilizmem „radosnym". Radość wynika z faktu, że rzeczywistość jest pozbawiona sensu, może więc stać się materią dowolnej twórczości. Inna postać nihilizmu to nihilizm samopodporządkowania obiektywnym mocom. Jest to nihilizm bierny; w takim rozumieniu możemy mówić o nihilizmie faszyzmu czy komunizmu. Wreszcie – nihilizm powojenny, nihilizm rezygnacji, który ani niczemu się nie podporządkowuje, ani niczego nie tworzy. Nie dość zdolny, aby sprostać samej nicości[2].

Pojęcie nihilizmu związane było z duchowym kryzysem kultury europejskiej w XIX wieku. Wielu jednak filozofów, na przykład Hermann Rauschning, słusznie uważa nihilizm za zjawisko historyczne[3]. Jeśli nihilizm rozumiemy jako negację bytu, prawdy, niewiarę w sens istnienia, to początków tak rozumianego nihilizmu moż-

---

[2] Por. J. Patočka, *Człowiek duchowy a intelektualista*, przeł. E. Szczepańska, „Logos i Ethos" 1993, nr 1, s. 133.

[3] Por. H. Rauschning, *Masken und Metamorphosen des Nihilismus*, w: *Der Nihilismus als Phänomen der Geistesgeschichte*, Darmstadt 1974, s. 99–121.

na doszukiwać się już u sofistów i w pyrronizmie. Przede wszystkim jest to nihilizm metafizyczny; tak określił go w połowie XIX wieku William Hamilton[4]. Najbardziej radykalną jego formę odnajdujemy już u Gorgiasza (V/IV wiek p.n.e.), który redukuje byt do nicości. Autor dzieła *O naturze albo o niebycie* formułuje pierwszą zasadę swej metafizyki w następujący sposób: „nie istnieje byt"[5]. W starożytności pojawiły się także początki nihilizmu poznawczego. Sceptycy twierdzili, że nie ma żadnej obiektywnej prawdy, a nawet jeśli istnieje, nie jest poznawalna. Jednak najistotniejsza myśl, która stała się podstawą rozwoju nowożytnego nihilizmu, pochodzi od Protagorasa: „Człowiek jest miarą wszystkich rzeczy, istniejących, że istnieją, i nieistniejących, że nie istnieją"[6]. To znane stwierdzenie: *homo mensura* – „człowiek miarą", stało się podstawą rozumienia wolności przez nihilizm nowożytny.

Nihilizm w pełnym tego słowa znaczeniu pojawia się tam, gdzie człowiek określa samego siebie jako miarę rzeczy i twórcę sensu bycia, a więc wraz z nowożytnym i współczesnym pojęciem wolności. Kluczem do nihili zmu jest słowo „wolność". Nowożytne rozumienie wolności związane jest z wiarą w twórczą moc człowieka, z przekonaniem, że człowiek ma moc tworzenia *ex nihilo*. Odnajdujemy je w Nietzscheańskim przewartościowaniu wartości, jak i w Sartre'owskiej tezie: „egzystencja poprzedza esencję". Taki człowiek tworzy prawdy i war-

---

4 W. Hamilton, *Lectures on Metaphysics I*, Edynburg 1859, s. 293–294.

5 Por. G. Reale, *Historia filozofii starożytnej*, przeł. E. J. Zieliński, Lublin 1994, t. I, s. 259.

6 Diogenes Laertios, *Żywoty i poglądy słynnych filozofów*, przekład zbiorowy, Warszawa 1982, s. 545.

tości, nadając światu wszelkie znaczenie. Nicość nie oznacza więc jedynie pustki życia, bezsensu. Oznacza także pełnię twórczości, absolutną twórczość człowieka w pustce. Takie rozumienie wolności możliwe jest tylko tam, gdzie zostają zakwestionowane obiektywne miary bytu i prawdy, przede wszystkim jednak istnienie Boga. Nihilizm zatem jest nie tyle wynikiem wiary w twórczą moc człowieka, co raczej niewiary w obiektywność bytu i prawdy. Tylko w horyzoncie takiej niewiary możliwe jest rozumienie człowieka jako „miary wszechrzeczy". Nietzsche pisze o niej: „ostatnia forma nihilizmu, która zawiera w sobie niewiarę w świat metafizyczny – zabraniająca sobie wiary w jakiś świat prawdziwy"[7].

Nowożytny nihilizm ma kilka podstawowych wymiarów: ateizm, moralny relatywizm, egzystencjalny absurd, polityczny anarchizm i historyczny tragizm. Pomimo wielu wymiarów nihilizmu, które wzajem się przenikają, istnieje jedna łącząca je zasada, którą Nietzsche sformułował następująco: nihilizm to „pożądanie nicości"[8].

Podstawowym warunkiem nihilistycznej wolności jest ateizm. „Jeżeliby bogowie byli, jakże bym ja zniósł, abym bogiem nie był"[9]. Autor tych słów, Nietzsche, dostrzegł ścisły związek między wolnością absolutną, nihilistyczną a ateizmem. Epoka nihilizmu jest epoką „śmierci Boga". Jest to także epoka wolności. Śmierć Boga rodzi pustkę, do której można mieć dwojaki stosunek: można

---

[7] F. Nietzsche, *Wola mocy*, przeł. S. Frycz i K. Drzewiecki Warszawa 1911, s. 15.

[8] Tenże, *Z genealogii moralności*, przeł. L. Staff, Warszawa 1913, s. 103.

[9] Tenże, *Tako rzecze Zaratustra*, dz. cyt., s. 114.

tworzyć w pustce lub przyjąć postawę rezygnacji. Jeśli Boga nie ma, człowiek może wybrać własną drogę, być wolny: „my filozofowie i »duchy wolne«, czujemy się na wieść, że »Bóg umarł«, jakby opromienieni nową jutrzenką; serce nasze przelewa się z wdzięcznością, zdumieniem, przeczuciem, oczekiwaniem – w końcu ukazuje się nam widnokrąg znów wolny, chociażby nawet nie był jasny, wreszcie znów mogą wybiegać okręty nasze"[10]. Możliwa jest jednak także rezygnacja. Jeśli „Bóg umarł", człowiek gubi się w pustce, jak ów – również przywołany przez Nietzschego – starzec, który służył Bogu do ostatnich dni. „I otom jest wysłużony: bez pana, a jednak nie wolny, o żadnej godzinie życia już nie radosny, chyba tylko we wspomnieniach"[11].

Wypływający z ateizmu nihilizm przybiera dwie formy. Nietzsche nazywa je nihilizmem czynnym i biernym. Nihilizm czynny jest aktem najwyższej twórczości wolnych ludzi lub nihilizmem burzenia (anarchizmem). Nihilizm bierny to nihilizm znużenia, wyczerpania.

Istnieje wiele literackich prototypów ateisty-nihilisty. Najbardziej znane to Iwan z *Braci Karamazow* i Kiriłłow z *Biesów* Fiodora Dostojewskiego. To w usta Iwana wkłada Dostojewski słowa: „Jeśli Boga nie ma, wszystko wolno" – i jasno dowodzi, że to ateizm Iwana pozwala mu na akceptację morderstwa ojca. Postawa Kiriłłowa wskazuje z kolei, że jeśli Boga nie ma, najbardziej znaczącą rzeczywistością w życiu jest indywidualna wolność, a najwyższą ekspresją indywidualnej wolności jest samo-

---

[10] Tenże, *Wiedza radosna*, przeł. L. Staff, Warszawa 1910–1911, s. 288.
[11] Tenże, *Tako rzecze Zaratustra*, dz. cyt., s. 362.

bójstwo. Tak komentuje nihilistyczną wolność Kiriłłowa Camus: „Jeśli Bóg nie istnieje, Kiriłłow jest bogiem. Jeśli Bóg nie istnieje, Kiriłłow musi się zabić, Kiriłłow musi się zatem zabić, żeby być bogiem (...). Stać się bogiem to być wolnym na tej ziemi, nie służyć istocie nieśmiertelnej. A zwłaszcza wyciągnąć wszystkie konsekwencje z tej bolesnej wolności. Jeśli Bóg istnieje, wszystko zależy od Niego i nie możemy nic przeciwko Jego woli. Jeśli nie istnieje, wszystko zależy od nas. Dla Kiriłłowa, jak dla Nietzschego, zabić Boga to samemu nim zostać – już na tej ziemi zaznać życia wiecznego, o którym mówi ewangelia”[12].

Ale pierwszą reakcją wobec otchłani nicości jest rezygnacja. Ateizm wytwarza pustkę i poczucie bezsensu życia. „Nihilizm: brak celu; brak odpowiedzi na pytanie »dlaczego?«. Co znaczy nihilizm? To, że najwyższe wartości tracą wartość”[13]. Jeśli Boga nie ma, kim jest człowiek? Pisze Nietzsche: „Człowiek jest to mały egzaltowany gatunek zwierzęcia, który – na szczęście – ma swój kres; życie na ziemi to w ogóle jeno chwila, epizod, wyjątek bez następstwa, coś, co w ogólnym charakterze ziemi pozostaje bez znaczenia; ziemia sama, jak każda gwiazda, to *hiatus* między dwiema nicościami, zdarzenie bez planu, bez rozumu, bez woli i samowiedzy, najgorszy rodzaj konieczności, głupia konieczność...”[14]. Podobnie bohater dramatu Sartre'a *Diabeł i Pan Bóg*, Gotz, wykrzykuje wobec Boga swoją nędzę: „Błagałem, żebrałem o znak, posyłałem do nieba posłańca: żadnej odpowie-

[12] A. Camus, *Mit Syzyfa*, w: *Eseje*, dz. cyt., s. 179–181.
[13] F. Nietzsche, *Wola mocy*, dz. cyt., s. 110.
[14] Tamże, s. 191–192.

dzi. Niebo nie wie nic, nie zna nawet mojego imienia. W każdej minucie zadawałem sobie pytanie, czym jestem w oczach Boga. Teraz znam odpowiedź: niczym. Bóg mnie nie widzi, Bóg mnie nie słyszy, Bóg mnie nie zna. Widzisz tę pustkę nad naszymi głowami? To Bóg. (...) Bóg to samotność ludzi"[15].

Inną „twórczą" reakcją jest poczucie absurdu, jak u bohaterów powieści Camusa, lub etyczna samoodpowiedzialność, jak u Sartre'a. Zarówno poczucie absurdu, jak i etyczna samoodpowiedzialność prowadzą do moralnego relatywizmu. Moralny relatywizm to kolejne oblicze nihilizmu.

Dla Camusa wolność absurdalna jest jedyną możliwą reakcją na przekonanie, że nie ma Boga. Wolność akceptująca absurd jest wolnością wbrew nadziei. „Z puszki Pandory, gdzie mrowiły się plagi ludzkości, wypuścili Grecy na ostatku nadzieję, jako najstraszliwszą ze wszystkich. Nie znam bardziej wzruszającego symbolu. Gdyż nadzieja, wbrew ogólnemu przekonaniu, jest równoznaczna z rezygnacją. A żyć to znaczy nie rezygnować"[16]. Absurd jest więc nadzieją na opak. Bohaterowie wolności absurdalnej to wspomniany już Kiriłłow, a u Camusa – Syzyf i Kaligula.

Z wyroku bogów Syzyf musi nieustannie toczyć pod górę głaz, który znalazłszy się na szczycie, spada w dół siłą własnego ciężaru. Camus zatrzymuje się na chwilach powrotów i wytchnienia Syzyfa. Skąd pogoda ducha, która

---

[15] J. P. Sartre, *Diabeł i Pan Bóg*, przeł. J. Kott, „Dialog" 1959, nr 9, s. 66–67.

[16] A. Camus, *Zaślubiny*, w: *Zaślubiny. Lato*, przeł. W. Natanson, Kraków 1981, s. 36.

czasami rozjaśnia jego twarz? Z odkrycia absurdu i pogodzenia się z nim. „Bóg, który znalazł się w tym świecie wraz z niezadowoleniem i upodobaniem do niepotrzebnych cierpień, zostaje wygnany. Los staje się sprawą ludzką i określaną przez ludzi. Stąd płynie milcząca radość Syzyfa. Los jest jego własnością, kamień jego kamieniem. Podobnie człowiek absurdalny: gdy zgłębi swą udrękę, zamilkną bogowie"[17].

Dla Kaliguli absurd uświęca arbitralną wolność stanowienia o życiu i śmierci. Kaligula mówi do kochanki: „Wreszcie zrozumiałem użyteczność władzy. Daje szansę temu, co jest niemożliwe. Dziś i w przyszłości moja wolność nie zna granic". Caesonia odpowiada: „Nie wiem, czy należy się tym cieszyć, Kajusie". Kaligula: „Ja też nie wiem, lecz przypuszczam, że z tym należy żyć"[18]. Taka wolność, samotna i zmagająca się z losem, usiłująca dorównać bogom, ale bez nadziei i ratunku skądkolwiek, pogrąża się w absurd. Kaligula tuż przed śmiercią stwierdza: „Nie obrałem odpowiedniej drogi, nie doszedłem do niczego. Moja wolność nie jest dobra. (...) Jesteśmy winni na wieki"[19]. Podobnie zakończy swoje życie inny bohater Camusa, Mersault: „I aby wszystko się dopełniło, abym poczuł się mniej samotny, pozostało mi jeszcze pragnąć, by w dniu mojej egzekucji było dużo widzów i by mnie powitali okrzykami nienawiści"[20].

---

[17] Tenże, *Mit Syzyfa*, dz. cyt., s. 194.

[18] Tenże, *Kaligula*, w: *Dramaty*, przeł. M. Leśniewska, Kraków 1987, s. 25.

[19] Tamże, s. 80.

[20] A. Camus, *Obcy*, przeł. M. Zenowicz, w: *Obcy. Dżuma. Upadek*, Kraków 1972, s. 53.

„Jeśli Boga nie ma, wszystko wolno". Ateizm odsłania jeszcze inny wymiar pustki i zagrożenia. Jest to pustka i zagrożenie obecne w historii. Historia ujawnia swój tragizm. Tragizm okazuje się następnym obliczem nihilizmu. Wydarzenia ubiegłego i obecnego wieku wciąż stawiają nas przed pytaniem o sens historii. Czy zło, którego doświadczamy, prowadzi do jakiejś wyższej racjonalności? Czy bezsens zła odsłoni w perspektywie historii jakiś wyższy sens? Wielu myślicieli w okresie nowożytnym usiłowało zrozumieć i odsłonić ten sens, tę racjonalność. „Tymczasem trwoga – pisze Paul Ricoeur – tryska właśnie z tego miejsca naszego oczekiwania. Specyficzny brak poczucia bezpieczeństwa wiąże się z historią, ponieważ nie jesteśmy pewni, czy zestraja ona rozum i egzystencję, logikę i tragizm. Trwoga odkrywa pewną przerażającą możliwość: a gdyby rzeczywiste dzieje nie miały sensu? (...) Nicość, której groźba się tu odsłania, to nicość sensu na samym poziomie Ducha"[21].

Taki brak sensu w historii, taka trwoga jest oczywiście skutkiem ateizmu. Trwoga ma jednak także inne źródło. „Jeśli Boga nie ma", nie tylko nic nie ma sensu, ale także „wszystko wolno". Trwoga historyczna, jak celnie zauważa Ricoeur, nie polega na dekadencji historii, lecz na jej ambiwalencji. Każda ludzka zdobycz może stać się zarówno dobrem, jak i zagrożeniem. Każde kolejne wydarzenie historii może stać się kolejnym krokiem rozwoju dziejów albo ostatecznym ich kresem. Ta ambiwalencja tkwi w ambiwalencji samej ludzkiej wolności, która może

[21] P. Ricoeur, *Trwoga rzeczywista i złudna*, przeł. P. Kamiński, „Znak" 1982, nr 330, s. 329–330.

wykorzystać wszystko tak ku tworzeniu, jak i ku zniszczeniu. Tragizm historii wypływa więc nie z samej historii, lecz z wolności człowieka, z nicości tej wolności. „Owa nicość to ani śmierć, ani szaleństwo, ani bezsens, ani nawet owa aktywna negacja bycia tu, która tworzy wolność, to próżność samej wolności, nicość wolności spętanej”[22].

PROBLEMATYZACJA

„Dlaczego jest raczej coś niż nic?” To podstawowe pytanie Leibniza wprowadza nicość w samą istotę filozoficznego myślenia. W jaki sposób nicość pojawia się w filozofii? Już w *Uczcie* Platon ukazuje, że filozoficzne myślenie zakłada nie-wiedzę, świadomość braku. „Z bogów żaden nie filozofuje ani nie pragnie mądrości – on ją ma; ani żadna istota mądra nie filozofuje. Głupi też nie filozofują i żaden z nich nie chce być mądry. Bo to właśnie jest całe nieszczęście w głupocie, że człowiek, nie będąc ani pięknym i dobrym, ani mądrym, przecie uważa, że mu to wystarczy. Bo jeśli człowiek uważa, że mu czegoś nie brak, czyż będzie pragnął tego, na czym mu, jego zdaniem, nie zbywa?”[23] Myślenie, zmierzając do prawdy, odsłania więc wciąż niewiedzę, zmierzając do bytu, odsłania otchłań nie-bytu. Takie negatywne odsłonięcie ma jednak charakter problematyzacji. Tym różni się od nihilizmu, że zmierza do bytu i sensu, podczas gdy nihilizm zakłada raczej nicość i pustkę jako ostateczny i nieprzezwyciężalny kres. „Nihilizm

[22] Tamże, s. 334.
[23] Platon, *Uczta*, dz. cyt., s. 100.

to nie tylko rozpacz i negacja, ale przede wszystkim wola rozpaczy i negacji" – stwierdza Nietzsche.

Jak Platon pojmuje problematyzację? Myślący człowiek kwestionuje, problematyzuje to, co wydaje się oczywiste, jako nieoczywiste – to, co jest, jako pozór bytu, jako to, co nie jest. Tym odróżnia się on od innych ludzi, że świat, w którym żyje, nie jest dla niego czymś oczywistym. Prawdziwy świat i byt rzeczywiście istniejący to nie ten, który postrzegamy jako zjawisko. Zjawisko bowiem zawiera w sobie ponadto cień, brak bytu. Pojęcie nicości byłoby puste, gdyby nie było odniesione do tego, co realnie istnieje. W ten jednak sposób sama nicość staje się konstytutywnym elementem rzeczywistości. Nicość nie jest, ale pojawia się w rzeczywistości bytu jako jego cień.

To zakwestionowanie oczywistości świata i jego bytu dokonuje się poprzez doświadczenie negatywności. Według Jana Patočki tak właśnie rozpoczyna się nie tylko myślenie, ale w ogóle życie duchowe. „Cała filozofia to w zasadzie nic innego jak rozwijanie owego aktu problematyzowania, tak jak umieli to uchwycić i wyrazić wielcy myśliciele. Walka o to, aby z tego problematyzowania wydobyć coś, co się zeń wyłania; znaleźć pewny grunt, aby po chwili znów sproblematyzować ów wyłaniający się pewny grunt. To jest pierwotna grecka mądrość, wyrażona słowami: »wszystkim rządzi światło«..., ten promień który pokazuje świt w ciemności, ale i równocześnie ciemność – owo wyłonienie się wszechistoty ze stanowiącego jej część mroku, który światło może jedynie rozświetlić, ale nie pokonać"[24]. Droga do prawdy nie jest

---

[24] J. Patočka, *Człowiek duchowy a intelektualista*, dz. cyt., s. 129.

możliwa inaczej jak poprzez doświadczenia negatywne, przez nieustanne wykorzenienie. „Nie jest sprawą przypadku ani bez znaczenia – pisze Patočka – że w filozofii po tysiącleciach ogromnego wysiłku panuje coś, co można by nazwać nihilizmem, tzn. przekonanie, że podstawę, na której właściwie dziś rozwija się życie duchowe i w oparciu o którą dopiero mogą się toczyć dyskusje, stanowią wszelkie poszukiwania: ta filozoficzna problematyka, idea, że życie i świat nie tylko są problematyczne i że sens jako odpowiedź na ów problem nie tylko nie został odnaleziony, ale że odnaleźć go nie można, że *nihil* jest ostatecznym rezultatem: że rezultatem jest taka oto samonegacja, samozaprzeczenie”[25]. Patočka dostrzega problem w całej jego ostrości. Myślenie nie może obejść się bez problematyzacji. Kiedy jednak problematyzacja zatrzymuje się na sobie samej i absolutyzuje samą siebie, kiedy poddaje się całkowicie owemu „cieniowi” bytu, myślenie ulega nihilistycznemu paraliżowi. Negacja, która ma być tylko metodyczną drogą do..., zapętla się w samonegacji.

Typową postawę problematyzacji odnajdujemy u Sokratesa, w jego metodzie ironii. Dla Sokratesa wszelka pewność prawdy jest pozorna: „wiem, że nic nie wiem”. Świat jest problematyczny. Sokratejska negacja jest jednak tylko fazą wstępną. „Ironia – pisze Kierkegaard – ujmuje nicość nieustannie w odniesieniu do »czegoś« i po to, by się uwolnić z powagi dotyczącej »czegoś«, chwyta się »nicości«. Ale nawet nicości nie traktuje poważnie”[26].

---

[25] Tamże, s. 130.

[26] S. Kierkegaard, *O powszechnym znaczeniu ironii. Ironia*, cyt. za: K. Toeplitz, *Kierkegaard*, Warszawa 1975, s. 204.

Ironia, która kwestionuje pozór bytu i prawdy, ma ostatecznie otworzyć drogę do bytu i do prawdy.

Podobnie, choć inaczej, pojmuje problematyzację inny mistrz poznania negatywnego, Georg Wilhelm Friedrich Hegel. Myślenie, podobnie jak byt, ma według Hegla charakter dialektyczny. Zawiera w sobie trzy momenty: tezę, jej zaprzeczenie, czyli antytezę, i łączącą je syntezę. Do istoty wszelkiego myślenia, jako jego niezbędny element, należy według Hegla negacja. W rzeczywistości odpowiednikiem negacji jest nie-byt. Nicość jest u Hegla bezpośrednio odniesiona do Bytu, jest Nie-Bytem. „Co prawda ludzie wyobrażają sobie Byt na przykład w postaci czystego światła, jako jasność niezmąconego widzenia, a Nic jako czystą noc, i mówiąc o różnicy między Bytem a Niczym nawiązują do tej dobrze znanej różności zmysłowej. W rzeczywistości jednak, jeśli wyobrazić sobie dokładniej to widzenie, można się łatwo przekonać, że w absolutnej jasności widzimy tyle samo, co w absolutnej ciemności, że zarówno jedno widzenie, jak i drugie, jest czystym widzeniem, widzeniem Niczego. Czyste światło i czysta ciemność to dwie pustki, które są jednym i tym samym. Dopiero w świetle określonym – a światło zostaje określone przez ciemność – a więc tylko w świetle zmąconym, dopiero podobnie jak w ciemności określonej – a ciemność zostaje określona przez światło – a więc tylko w ciemności rozjaśnionej można coś rozróżnić, gdyż dopiero zmącone światło i rozjaśniona ciemność zawierają różnicę w sobie samych i są tym samym bytem określonym, istnieniem”[27].

---

[27] G. W. F. Hegel, *Nauka logiki*, przeł. A. Landman, Warszawa 1967, t. I, s. 93, 95, 97.

Wszelkie poznanie ma dla Hegla charakter zapośredniczenia. Tym pośredniczącym momentem myślenia, koniecznym dla przejścia od „prawdy w sobie" do „prawdy dla siebie" jest właśnie negacja. „Duch bowiem jest tym większy, im większe jest przeciwieństwo"[28]. Jak światło ukazuje samo siebie, jednocześnie ujawniając ciemność, tak i duch. „Moc ducha właśnie na tym polega, aby sprzeczność w sobie założyć, by ją wytrzymać i przezwyciężyć"[29]. „Duch jest ową potęgą nie jako to, co pozytywne, nie wtedy, gdy pomija negatywność (...) potęgą jest duch tylko wtedy, kiedy negatywności patrzy prosto w oczy i przy niej się zatrzymuje. Takie zatrzymanie się ducha przy negatywności jest czarodziejską siłą, która przemienia ją w byt"[30].

Hegel powtarza znaną zasadę Spinozy: *Omnis determinatio est negatio* – „Wszelkie określenie jest zaprzeczeniem". Każdy konkretny byt zawiera dwa momenty: jest tym, czym jest, i tym, czym nie jest. Naturę każdego bytu stanowi więc także nie-byt.

Nie-byt jest naturą bytu. Poznanie bytu może dokonać się tylko poprzez nie-byt. Takie poznanie ma charakter negatywny. Oznacza to dla Hegla, że antyteza, negacja, która odsłania nie-byt i jednocześnie mu zaprzecza, jest koniecznym sposobem poznania. To, co pozytywne, może być poznane tylko poprzez to, co negatywne. Takie rozumienie natury poznania i myślenia nie jest niczym nowym. Także u Platona dusza poznaje siebie tylko wtedy

---

[28] Tenże, *Fenomenologia ducha*, przeł. A. Landman, Warszawa 1963, t. I, s. 385.

[29] Tenże, *Wykłady o estetyce*, przeł. A. Landman, Warszawa 1964, t. I, s. 154.

[30] Tenże, *Fenomenologia ducha*, dz. cyt., t. I, s. 34.

jako duszę, gdy opuszcza bezpośrednie królestwo Idei i zapośrednicza się poprzez związek z tym, czym nie jest, czyli z ciałem. Dusza traci siebie jako duszę, aby jako dusza znów siebie odzyskać. Plotyńska Jednia nie może poznać siebie jako Jedni, jeśli nie dostrzega wyłonionej z siebie wielości bytów. W ten sposób poznajemy nawet opatrzność. Plotyn pisze: „I w ogóle ci, którzy chcą usuwać to, co jest gorsze w całości świata, usuwają samą opatrzność. Bo czegóż będzie wtedy opatrznością"[31]. Brak tu miejsca, by wdać się w interesującą, acz trudną debatę na temat poznania negatywnego. Ograniczę się więc do prostego stwierdzenia: negacja, moment negatywności w formie problematyzacji, wydaje się czymś istotnym dla samego myślenia. Czy oznacza to jednak, że myślenie jest samo w sobie nihilistyczne?

NIHILIZM A PROBLEMATYZACJA

Jeśli filozofia jest poszukiwaniem prawdy i sensu, to nie może tej prawdy i tego sensu, które już posiada, nie podawać wciąż w wątpliwość. A nie można problematyzować, nie stając wobec nicości. „Człowiek nie może żyć bez sensu, i to sensu całkowitego i absolutnego. To znaczy: nie może żyć w pewności braku sensu. Ale czy znaczy to, że nie może żyć w sensie poszukiwanym i problematycznym?"[32] – pyta Jan Patočka. Problematyzacja nie

---

[31] Plotyn, *Enneady*, przeł. A. Krokiewicz, Warszawa 1959, t. I, s. 321.
[32] J. Patočka, *Eseje heretyckie z filozofii historii*, przeł. J. Zychowicz, Warszawa 1988, s. 39.

zmierza więc ostatecznie do nicości i bezsensu, ale do afirmacji bytu i prawdy. Nihilizm absolutyzuje samą nicość. „Nihilizm okazuje się rzeczywiście dogmatyczny wtedy, gdy widzi w braku sensu ostateczny i niewątpliwy fakt, i jeśli jego wątpliwość co do dogmatycznie ustanowionego sensu nie implikuje również możliwego sceptycyzmu wobec tego sceptycyzmu"[33]. Nihilizm nie polega więc na akcie problematyzacji, negatywności, ale na dogmatycznej akceptacji nicości i absurdu. Między posiadaniem prawdy a jej poszukiwaniem trzeba wybrać raczej poszukiwanie – stwierdza Patočka. Poszukiwać jednak można w takiej mierze, w jakiej już się „posiada" to, czego się poszukuje. Posiada nie na zasadzie pewności, ale na zasadzie wiary i nadziei. Nicość, wobec której wciąż staje poszukujące myślenie, nie jest więc bezdenną otchłanią, w której nic nie ma, ale pewną, choć wciąż problematyczną drogą do bytu i prawdy. Nicość jako otchłań i nicość jako tajemnica – oto różnica między problematyzowaniem i nihilizmem.

Nihilizm nie dochodzi do prawdy, sensu, pełni bytu czy Boga. Osiąga jedynie nicość. Problematyzujące myślenie, choć także jeszcze ich nie osiąga, jednak w pełni je afirmuje. Problematyzacja stanowi bowiem kolejny krok na drodze ku bytowi i prawdzie. W innym wypadku pozbawiona byłaby jakiegokolwiek sensu. Problematyzacja, negatywność wyczerpałyby wówczas same siebie. Trudno zatem zgodzić się z Wilhelmem Weischedelem, który pisze: „ze swej istoty filozofowanie zdąża ku pytaniu o Boga; ze swej istoty filozofowanie kończy się nihi-

[33] Tamże.

lizmem i utratą Boga (...). Ta niezdolność filozofowania ma przy tym swe źródło w jego najbardziej własnej naturze – w radykalności swego nieustannego zapytywania filozofowanie koniec końców znajduje nicość w miejsce Boga"[34]. Możliwość (a raczej niemożliwość) osiągnięcia Boga i sensu jest możliwością, którą ostatecznie wybiera sam człowiek i na którą się decyduje. Myślenie nie kończy się nicością. Może od niej – co najwyżej – się zacząć. Będzie to jednak nicość rozumiana jako nie-wiedza. Pytanie nie wypływa z radykalnej nicości. „Totalny bezsens" nie jest jedyną pozostającą nam możliwością[35].

Istotne więc dla różnicy między problematyzującym myśleniem a nihilizmem jest to, czy u podstaw tkwi afirmacja bytu, czy afirmacja nicości. Ta afirmacja ostatecznie rozstrzyga, czy myślenie jest problematyzującą drogą do bytu, prawdy i sensu, czy też nieprzezwyciężalnym odrzuceniem, negacją albo rezygnacją z prawdy i sensu. „To jest najbardziej krańcowa forma nihilizmu: nic (»bezsens«) wieczne!" – pisał Nietzsche[36].

Na czym zasadza się różnica między afirmacją bytu i afirmacją nicości? Przyjrzyjmy się metaforze spojrzenia Boga, o której wspominają Sartre i Kierkegaard. Dla Sartre'a spojrzenie Boga bezwstydnie podglądającego rozstrzyga ostatecznie o ateizmie człowieka. „Wściekłem się na niedyskrecję tak ordynarną, nabluźniłem (...). I nie spojrzał na mnie już nigdy więcej"[37]. Dla Kierkegaarda

---

[34] W. Weischedel, *Teologia filozoficzna w cieniu nihilizmu*, przeł. G. Sowinski „Znak" 1994, nr 469, s. 21.

[35] Por. tamże.

[36] F. Nietzsche, *Wola mocy*, dz. cyt., s. 22.

[37] J. P. Sartre, *Słowa*, przeł. J. Rogoziński, Warszawa 1965, s. 82.

odwrotnie: „W pewnym sensie Bóg skierował swoje oko na mnie i teraz nie mogę zapomnieć, że to oko mnie widzi. To, że Bóg na mnie spojrzał, spowodowało, że musiałem i muszę zwrócić się ku Bogu”[38]. Co rozstrzyga o takiej decyzji Sartre'a? A co o odmiennej decyzji Kierkegaarda?

Ostatnie pytanie, jakie się tu wyłania, to pytanie: czy absolutny nihilizm jest możliwy? Być może tak. Należałoby jednak sproblematyzować nihilistyczną myśl naszych czasów. Czy jest ona istotnie anty-wiarą, czy raczej wyznaniem bezradności, które samo w sobie, być może, jest już wyznaniem nadziei? Ucieczka przed takim problematyzującym myśleniem z powodu lęku popadnięcia w nihilizm może bowiem prowadzić do podporządkowania się innemu, nie mniej groźnemu nihilizmowi – nihilizmowi bezmyślności.

---

[38] S. Kierkegaard, *Dziennik* VII A 158, cyt. za: K. Toeplitz, *Kierkegaard*, dz. cyt., s. 208.

WYCHOWANIE DO WOLNOŚCI

> Wolność jest pojęciem wieloznacznym (...). Będąc największym dobrem wywołuje nieskończenie wiele nieporozumień, zamętu i omyłek, oraz pozostawia pole do wszelkich możliwych wybryków – o tym nigdy lepiej nie wiedziano i nigdy bardziej tego nie doświadczono niż w czasach obecnych[1].

Wychowanie do wolności jest samą istotą wychowania, gdyż wolność należy do istoty człowieka. Czy nie jest jednak paradoksem mówienie o wychowaniu do wolności? Czy człowiek nie jest spontanicznie wolny? Wiemy jednakże, że już Arystoteles odróżniał spontaniczność od wolności związanej z zastanowieniem (*proairesis*), z namysłem, a Platon ukazał związki między poszczególnymi typami duszy ludzkiej – królewskim, despotycznym, demokratycznym, timokratycznym czy oligarchicznym – a ustrojami politycznymi. Niech odpowiedzią na tak postawione pytania będą więc dwie uwagi Platona.

Pierwsza dotyczy wolności jeszcze niewychowanej, u samego początku demokracji. Hasło wolności rozbrzmiewa wówczas po wszystkich kątach; ale co ono oznacza? Ojciec boi się syna, nauczyciel boi się uczniów i im pochlebia, a młodzi ludzie upodobniając się do star-

---

[1] G. W. F. Hegel, *Wykłady z filozofii dziejów*, przeł. J. Grabowski, A. Landman, Warszawa 1958, t. I, s. 30.

szych, nic sobie nie robią z nauczyciela. Buta nazywana jest wyższą kulturą, nierząd – niezależnością, beznadziejna rozpusta – pańskim gestem, a bezczelność – męstwem[2]. I narzeka Platon, że nawet ulicą nie można przejść spokojnie, gdyż także zwierzęta go potrącają: „I w ogóle w ten sposób, gdzie się tylko ruszyć, wszędzie pełno wolności"[3].

Druga uwaga dotyczy duszy despotycznej. Już Platon dostrzegł szczególną tendencję u tych, którzy „źle zagospodarowani wewnętrznie, sami nad sobą żadnej władzy nie mając", tym bardziej usiłują władać innymi[4].

Przytoczone uwagi nie powinny doprowadzić nas jednak do mylnego wniosku, że – jak postulował Platon – należy „przepędzić poetów z państwa", władzę oddać filozofom, a wolność poddać zasadzie reglamentacji. Wolność jest źródłem godności każdego człowieka, jego istotą. Dlatego zawsze powinna stanowić centrum problematyki wychowania. Tym bardziej, że czytając uwagi Platona, możemy odnieść wrażenie, iż wciąż jesteśmy jeszcze u początków demokracji.

POZNANIE WOLNOŚCI

Kiedy mówimy o wychowaniu do wolności, zakładamy, że wiemy, o czym mówimy. Czym jest wolność, do której mamy wychowywać? Od samego początku musimy przyznać, że poznanie wolności nie jest nam dane. Wolność jest tajemnicą. Doświadczamy jej, kiedy czyni-

---

[2] Por. Platon, *Państwo*, dz. cyt., s. 442.
[3] Tamże, s. 447.
[4] Tamże, s. 476.

my z niej użytek. Kiedy natomiast usiłujemy poznać jej istotę, wymyka się nam. „Wolnością – pisał Bergson – nazywamy stosunek naszego ja konkretnego do aktu, który ono spełnia. Tego stosunku właśnie dlatego nie da się określić, że jesteśmy wolni"[5]. I dodawał: „Wolność (...) jest faktem i pomiędzy faktami, które są stwierdzone, faktem najbardziej oczywistym. Wszystkie trudności i zagadnienia (...) powstają z dążności (...) do oddania pojęcia wolności w języku, w którym oczywiście nie da się jej wyrazić"[6]. Bezpośredni sens słowa „wolny" możemy ująć jedynie w tautologii: „wolny jest wolny", i w kontradykcji: „wolny nie jest nie wolny". Ale w ten sposób niczego się o wolności nie dowiadujemy. Z drugiej strony, wszelkie poznawcze zapośredniczenia tego bezpośredniego sensu słowa „wolny" przez kategorie fizyczne (czas i przestrzeń), zjawiskowe (jakości), psychologiczne (przeżycia) czy historyczne (związki wydarzeń) w żaden sposób go nie wyczerpują. Usiłują przy tym rozłożyć na poszczególne elementy i wymiary ludzkiego bytu to, co ze swej istoty jest jednością. Dlatego rację ma Nicolai Hartmann, pisząc, że „pozostajemy do wolności woli w takim samym stosunku jak dzisiejsza fizyka do wnętrza atomu. Jedynie przy pomocy analitycznych metod można wyprowadzić wnioski, jak wygląda wnętrze atomu. (...) Problem wolności mieści się w szeregu tych faktów, których nie możemy ogarnąć aż do spraw ostatecznych"[7].

---

[5] H. Bergson, *O bezpośrednich danych świadomości*, przeł. K. Bobrowska, Warszawa 1913, s. 143–144.

[6] Tamże, s. 145.

[7] N. Hartmann, *Najważniejsze problemy etyki*, przeł. A. W. [Adam Węgrzecki], „Znak" 1974, nr 245, s. 1454.

Nie wnikając więc w tajemnicę istoty wolności (o ile w ogóle wolność ma istotę?), spróbujmy opisać wolność od strony negatywnej i pozytywnej. Podział ten może kojarzyć się ze słynnym wykładem Isaiaha Berlina *Dwa pojęcia wolności*. Jednak według mojego przekonania, to nie wolność negatywna, ale wolność pozytywna, twórcza – jest wolnością *par excellence*. Natomiast wolność negatywna jest ucieczką od wolności.

WOLNOŚĆ NEGATYWNA

Pierwszym przejawem wolności negatywnej jest wolność fanatyczna. Można ją także określić mianem „czystej wolności od...". Wolność jest istotą woli, a wola jest zawsze wolą czegoś. Podobnie jak myślenie jest intencjonalne, jest myśleniem o czymś, tak i wola jest wolą czegoś, określonego przedmiotu. Będąc jednak wolą czegoś, może doświadczać w tym czymś własnego ograniczenia. Aby być absolutnie wolną, musi abstrahować od wszelkiej przedmiotowości. Taka abstrakcja jest możliwa jedynie dzięki negacji tej przedmiotowości, a przejawem takiej negacji jest niszczenie. Wolność, która chce być wolna w sposób absolutny – to znaczy wolna od wszelkiej przedmiotowości – przemienia się w wolność fanatyczną. Jej fanatyzm nie polega na negacji jakichś określonych przedmiotów czy wartości, ale na negacji w ogóle. Według Hegla wcieleniem takiej wolności absolutnej jest rewolucja. Dlatego określił on ją mianem wolności rewolucyjnej. „Zaliczyć do tego należy – pisał – na przykład okres terroru rewolucji francuskiej, w której zniesione miały być wszelkie różnice wynikające z talentu i autorytetu. Był to okres wstrząsu, wzburzenia, nietolerancji wobec wszystkiego, co stanowiło jakąkolwiek szczegółowość. Fanatyzm bowiem pragnie abstrakcyjności, a nie rozczłonkowania; jeśli wyłaniają się jakieś różnice, fanatyzm uważa je za sprzeczne ze swoją nieokreślonością i znosi je. Dlatego też lud w czasie rewolucji burzył ciągle na nowo te instytucje, które był sam wprowadził..."[8] Taka czysta, absolutnie negatywna wolność, jest bowiem niemożliwa. Nawet wówczas, kiedy chce jedynie samej siebie, chce przecież czegoś. Radykalizm czystej wolności musi więc doprowadzić do jej samounicestwienia.

Hegel opisał także inne formy wolności negatywnej: stoicyzm, sceptycyzm i świadomość nieszczęśliwą. Wolność stoicka jest dystansem wobec rzeczywistości osiągniętym dzięki myśleniu. Stoicyzm polega na ucieczce od świata zewnętrznego w wewnętrzny świat myśli, gdzie osiąga się niewzruszoność wobec własnego losu. Wolność wewnętrzna możliwa jest nawet wtedy, gdy w rzeczywistości jest się w kajdanach. Stoickie myślenie jest jednak tylko negatywne. Co prawda, stanowi pociechę w rozpaczy wobec zniewolonego świata, jest jednak tylko czymś formalnym i pozbawionym treści. To bowiem negatywne myślenie, abstrakcja, polega na samym myśleniu. Dlatego myślenie stoickie nie zmierza jeszcze do żadnej prawdy. W stoickiej wolności chodzi bowiem o samą wolność dystansu, o ucieczkę.

Warunkiem możliwości tego wewnętrznego dystansu jest zgoda na kres, czyli śmierć. „Jeden jest tylko sposób

[8] G. W. F. Hegel, *Zasady filozofii prawa*, przeł. A. Landman, Warszawa 1969, s. 346.

na uzyskanie wolności – pisał Epiktet – a jest nim spokojne skonanie"[9]. Akceptacja śmierci, która jest wyrazem tego, co od nas niezależne, może stać się jednak szczytowym przejawem wewnętrznej samorezygnacji.

Innym istotnym warunkiem wolności stoickiej jest wiara w boski charakter losu. Teoria ta jest pożyteczna – pisał Spinoza – „o ile uczy nas, jak mamy się zachowywać wobec zrządzeń losu, czyli tego, co nie jest w naszej mocy, to jest wobec tego, co nie wynika z naszej natury. A (uczy nas) oczekiwać i znosić ze spokojem ducha podwójne oblicze losu, albowiem wszystko wynika z wiecznego postanowienia Boga z tą samą koniecznością, z jaką wynika z istoty trójkąta, że trzy jego kąty są równe dwom prostym"[10].

Jeśli wolność fanatyczna usiłuje osiągnąć swą absolutność poprzez akt niszczenia, wolność stoicka urzeczywistnia samą siebie poprzez dystans – dzięki ideologii myśli. Jest wolnością fatalistyczną i bierną.

Inną, według Hegla, bardziej aktywną formą wolności negatywnej jest wolność sceptyczna. Stoicyzm stwarzał dystans obojętności wobec świata. Sceptycyzm przemienia tę obojętność w czyn sceptycznego wątpienia. Gardzi tym, co dla stoika było tylko obojętne. Nie jest to jednak akt destrukcji, jak w przypadku wolności fanatycznej, lecz akt wątpienia. „Teraz zaś ujawnia się dla świadomości całkowita nieistotność i niesamodzielność tego, co inne; myśl staje się myśleniem pełnym, unicestwiającym byt

---

[9] Epiktet, *Diatryby. Encheiridion*, dz. cyt., s. 337.

[10] B. Spinoza, *Etyka w porządku geometrycznym dowiedziona*, przeł. I. Myślicki, Warszawa 1954, s. 137.

świata różnorodnie określonego, a negatywność wolnej samowiedzy staje się na tle tego wielostronnego ukształtowania życia realną negatywnością”[11]. Istotą tej negatywności jest wątpienie we wszelkie wartości. Dzięki tej teoretycznej negacji sceptyk osiąga pewność i podnosi ją do poziomu prawdy. „Podmiot z jednej strony rwie się do prawdy i pożąda obiektywności, z drugiej zaś nie umie się wydobyć ze swej samotności i wycofania się do siebie, ani wyzwolić z niezaspokojonej, abstrakcyjnej, wewnętrznej głębi, wskutek czego popada w nastrój melancholii. (...) Ten brak zaspokojenia sprzyja mnożeniu się chorobliwych pięknoduchów i stęsknionych marzycieli”[12].

Radykalny sceptycyzm jest jednak niemożliwy. Wątpiąc w wartość wszystkiego, trzeba ostatecznie zwątpić w sens wszelkiego wątpienia.

Kolejną formą wolności negatywnej jest wolność świadomości nieszczęśliwej. Jest to wolność o charakterze religijnym. Świadomość nieszczęśliwa jest rozdarta na siebie samą i to, co inne, a tym innym nie jest już obojętny lub negowany świat, lecz Bóg. Świadomość przeżywa w sobie to rozdarcie i sprzeczność. Przeżyta sprzeczność rodzi ból i wewnętrzne nieszczęście. „Świadomość życia, swego istnienia i działania jest tu jedynie bólem z powodu tego istnienia i działania. Świadomość ta jest bowiem zawsze tylko świadomością tego, że czymś istotnym jest jej przeciwieństwo, a ona sama niczym”[13].

---

[11] G. W. F. Hegel, *Fenomenologia ducha*, dz. cyt., t. I, s. 235.
[12] Tenże, *Wykłady o estetyce*, dz. cyt., t. I, s. 105–106.
[13] Tenże, *Fenomenologia ducha*, dz. cyt., t. I, s. 242.

Nieszczęśliwa świadomość składa się z dwóch elementów: zmiennego i niezmiennego. W swym elemencie zmiennym doświadcza siebie jako skończoności, jako czegoś, co zmierza ku nicości. Ów zmienny element dąży zatem nieustannie w górę, do osiągnięcia elementu niezmiennego – Prawdy, Boga. Połączenie obydwu elementów nie jest jednak możliwe. Element niezmienny – Bóg – jest ciągle „poza", nieskończony, nieosiągalny. Stąd nieszczęście świadomości.

Jednak dzięki relacji do Nieskończoności świadomość w swym skończonym wymiarze osiąga wyzwolenie. Sprawa panowania i niewoli okazuje się w konsekwencji uzależniona od układu odniesienia. Wobec skończoności ziemi panowie znajdują się ponad niewolnikami. Jeśli jednak układem odniesienia jest nieskończoność nieba, to znikają jakiekolwiek różnice. Dzieje się to jednak za cenę poddania Bogu. Wobec niego wszyscy są równi, gdyż wszyscy są jego niewolnikami. Z tego faktu wynikają dwie konsekwencje. Po pierwsze, człowiek wyzwala się z poddaństwa innym ludziom i uzależnienia od przedmiotów, o ile poddaje się boskiemu Panu. Po wtóre, wyzwolenie to możliwe jest jednak w pełni dopiero „po tamtej stronie", poza światem skończonym. W związku z tym skończony świat staje się obojętny, a nawet bezwartościowy. Świadomość nieszczęśliwa powraca więc ponownie do stoicyzmu, lecz już w oparciu o pewien niezmienny, boski, pozaświatowy fundament. Osiąga dystans dzięki abstrakcyjnej relacji do Boga.

Jeśli wolność świadomości nieszczęśliwej możliwa jest dzięki poddaniu się Bogu, wolność jako czysta samowola możliwa jest dzięki wkroczeniu w boskie prerogatywy.

Samowola jest jednym z najczęstszych wyobrażeń, jakie mamy na temat wolności. Jest wolnością całkowicie nieograniczoną, stawiającą własne dobro ponad dobro innych. Wolność woli samowolnej nazywana była od czasów Arystotelesa wolą naturalną i przeciwstawiona była woli etycznej. Jest to wola upodobania, popędu, pożądania, namiętności. Polega ona jednak nie tylko na tym, że czyni to, co chce, lecz także na tym, że często czyni to wbrew innym. Człowiek samowolny usiłuje być wolny w taki sposób, jak gdyby był sam na świecie. Platon określał tę wolność mianem wolności despoty, Hegel mianem wolności imperatora. „W osobie imperatora – pisał – partykularna podmiotowość stała się niczym nie ograniczoną rzeczywistością. Duch staje bezradny, ponieważ skończoność bytu i woli okazała się niczym nie skrępowana. (...) Partykularna podmiotowość w swej nieposkromionej wybujałości nie posiada życia wewnętrznego, nie patrzy ani naprzód, ani wstecz, nie zna żalu, nadziei ani obawy, nie krępuje się myślą – gdyż wszystko to zawiera jakieś trwałe określenia i cele, tu zaś wszystko jest tylko przypadkowe. Partykularna podmiotowość jest żądzą, rozkoszą, namiętnością, kaprysem, krótko mówiąc: niczym nie skrępowaną samowolą"[14].

Wolność samowolna, całkowicie autonomiczna, jest nie tylko pozbawiona reguł, lecz jest także wolnością absolutnego początku. Absolutna samowola możliwa jest tylko na wzór wolności boskiej, to znaczy ostatecznie dzięki negacji Boga. Taką próbę urzeczywistnienia wolności na wzór wolności boskiej Jean-Paul Sartre dostrzegł u Kartezjusza.

[14] Tenże, *Wykłady z filozofii dziejów*, dz. cyt., t. II, s. 152–153.

Kartezjański Bóg był Bogiem absolutnego początku. Był wolny, gdyż nic nie poprzedzało jego wolności. W sposób wolny ustanawiał wszelką racjonalność i prawdę. Czym natomiast był kartezjański podmiot? Kartezjusz, szukając fundamentu i źródła wszelkiej pewności, na drodze swych poszukiwań, poprzez metodyczne wątpienie, kwestionował istnienie tego wszystkiego, co może być powątpiewalne. W ten sposób zwątpił jednak we wszystkie prawdy intelektualne, które mogą być powątpiewalne: we wspomnienia, wyobrażenia, nawet w prawdy racjonalne. Tym, co jedynie niepowątpiewalne, jest *cogito*, myślący podmiot.

Czy jednak ów podmiot, pozbawiony wszelkich własnych wspomnień, wyobrażeń itp., nie jest pusty? Rację wydaje się mieć Sartre, kiedy pisze w *Wolności kartezjańskiej*, że absolutna autonomia *cogito* okupiona jest ceną nicości. To więc, co istnieje najpewniej, opustoszone z wszelkiej treści, jednocześnie nie jest. Ze źródła największej pewności tryska największe zwątpienie. Gdy więc wolność absolutnego początku jest w przypadku Boga wolnością twórczą, zmierzającą od nicości do bytu, wolność absolutnego początku *cogito* zmierza od bytu do nicości. Kartezjusz był tego świadom, gdyż ostateczną możliwość upewnienia prawdy dostrzegł dopiero w Bogu. Według Sartre'a, odkrył to, czym w istocie jest ludzka wolność – absolutny początek. Przeląkł się jednak tej wolności w najbardziej rozstrzygającym momencie i oddał ją Bogu. „Tak więc, Kartezjusz, opisując boską wolność, ostatecznie wyjaśnia i przywraca swe pierwotne odczucie własnej wolności, o której powiedział, że poznaje się ją bez dowodów, jedynie dzięki posiadanemu przez nas doświadczeniu jej. Nie jest dla nas ważne, że był on zmuszony przez swą epokę, jak również przez punkt wyjściowy swych rozważań, sprowadzić wolną wolę ludzką wyłącznie do władzy negatywnej, wzbraniać się, ustąpić wreszcie i oddać się Bogu w opiekę. Nie jest też dla nas ważne, że hipostazuje on w Bogu tę wolność pierwotną i konstytuującą, której nieskończoną egzystencję uchwycił przez samo *cogito*. (...) Trzeba będzie dwóch wieków kryzysu – kryzysu wiary, kryzysu nauki – by człowiek odzyskał ową twórczą wolność, którą Kartezjusz umieścił w Bogu i by nareszcie zaczęto domyślać się owej prawdy, stanowiącej najistotniejszą podstawę humanizmu: człowiek jest bytem, którego pojawienie się sprawia, że istnieje świat"[15].

Tak rozumianą wolność usiłował przywrócić człowiekowi Sartre, określając zasadę swego egzystencjalizmu słowami: „egzystencja poprzedza esencję", co właściwie oznacza: wolność poprzedza prawdę. Miejsce Boga Stwórcy zajął człowiek stwórca.

Podsumujmy: wolność negatywna przejawia się jako wolność fanatycznego rewolucjonisty, obojętnego stoika, melancholijnego sceptyka, nieszczęśliwego sługi Boga lub też samowolnego stwórcy stającego się bogiem dla siebie samego i innych.

WOLNOŚĆ POZYTYWNA

Wolność przejawia się w twórczym działaniu człowieka. Dlatego wychowanie do wolności powinno pomagać w poznaniu samego siebie i wykształceniu zdolności do

[15] J.-P. Sartre, *Wolność kartezjańska*, przeł. I. Tarłowska, w: *Filozofia i socjologia XX w.*, Warszawa 1965, t. II, s. 329–330.

wolnej ekspresji twórczej. Ekspresja twórcza różni się od innych form ludzkiego działania. Czyny twórcze nie są nastawione na posiadanie, nie wprowadzają zaburzeń w dziedzinach należących do innych. Czyn twórczy jest czystym gestem, który nie porywa świata dla siebie, lecz wyraża siebie wobec świata i dla świata[16]. Dokłada do niego nową wartość. Poprzez czyn twórczy osoba wyraża siebie samą i w ten sposób spełnia swą wolność. Pomiędzy czynem twórczym a spełniającą go osobą zachodzi podobny związek jak w przypadku artysty i jego dzieła. Dzieło artysty jest dziełem jedynym w swoim rodzaju. W nim artysta wyraża i poznaje samego siebie. Odkrywa swoją osobową tożsamość i doświadcza, że jego czyny są prawdziwie wolne, ponieważ są jego czynami.

Podkreślenie w wychowaniu twórczego charakteru wolności jest o tyle istotne, że wielu myślicieli pozostaje w cieniu fałszywej, jak sądzę, koncepcji poznania wolności – poznania przez negację, utratę czy napiętnowanie. Sartre w *Silence III* pisał: „Nigdy nie byliśmy tak wolni jak podczas faszystowskiej okupacji"[17]. Zdanie to nie jest oczywiście apoteozą czasów faszyzmu. Sartre, pod wpływem Hegla, chciał jedynie wyrazić przekonanie, że najgłębsze i najwyższe poznanie wolności ma ten, kto w ekstremalnych warunkach zniewolenia doświadcza jej utraty. Zdanie Sartre'a można by – w naszym kontekście – sparafrazować: „Nigdy nie byliśmy tak wolni jak w czasach komunizmu...". Nie sądzę jednak, by utrata wolno-

[16] Por. M. Buber, *Wychowanie*, przeł. S. Grygiel, „Znak" 1968, nr 166, s. 449.

[17] J.-P. Sartre, *Silence III*, cyt. za: W. Gromczyński, *Człowiek, świat rzeczy, Bóg w filozofii Sartre'a*, Warszawa 1969, s. 247.

ści była odpowiednią drogą do jej poznania. A jeśli nawet, to cena, jaką się płaci za to poznanie, jest zbyt wielka. Człowiek, który doświadcza swojej wolności poprzez negację – w walce przeciw..., w oporze wobec... – często przestaje być zdolny do pozytywnej ekspresji wolności. Kiedy kończy się narodowy dramat, zdezorientowani aktorzy biegają po scenie, nie bardzo wiedząc, co uczynić ze swoją wolnością. Człowiek przywykły do walki o wolność, często nie jest już zdolny do odpowiedzialnego i twórczego bycia wolnym. Nie zamierzam oczywiście przekreślać znaczenia tej negatywnej drogi poznania wolności. Była ona kuszącą propozycją w czasach, w których można było uzyskać łatwe samouspokojenie dzięki przekonaniu, że głębsze poznanie wolności ma ofiara niż jej opresor. Więcej wolności jest jednak w radosnym tańcu niż w melancholijnej zadumie nad jej utratą albo w romantycznej o nią walce.

Wychowanie do twórczej wolności nie jest łatwe, ponieważ nie jest łatwo podejmować decyzje. Człowiek, który walczy o wolność, tęskni do niej, jak do zakazanego owocu. Kiedy ją jednak uzyska, doświadcza jej ciężaru, a także własnej samotności i odpowiedzialności. Dlatego łatwo z wolności rezygnuje. Genialnie podpatrzył to doświadczenie Erich Fromm, określając je jako ucieczkę od wolności, czy Fiodor Dostojewski w mowie Wielkiego Inkwizytora w powieści *Bracia Karamazow*. Wychowanie do wolności musi zatem świadomie stwarzać takie warunki, w których wychowanek będzie podejmował własne decyzje, będzie odpowiedzialny za... i wobec..., i w tej odpowiedzialności doświadczy własnej tożsamości, zarówno indywidualnej, jak i ludzkiej.

Odwołajmy się do przykładu podanego przez Arystotelesa. Ktoś wybiera swą drogę życiową. Załóżmy, że w sposób wolny zdecydował, iż zostanie wirtuozem gry na cytrze. Czy wraz z dokonaniem wyboru, z rezygnacją z innych możliwości („wolność od...") kończy się jego wolność? W żadnym razie, ona dopiero naprawdę się zaczyna. Oto przed tym, kto postanowił zostać wirtuozem, otwiera się „przestrzeń" muzyki. Aby być wolnym jako wirtuoz, cytrzysta musi zapoznać się z teorią muzyki i przez żmudne godziny ćwiczeń opanować grę na instrumencie. Im głębiej pozna zasady rządzące „przestrzenią" muzyki, im lepiej je sobie przyswoi, im swobodniej będzie się posługiwał cytrą, która w jego dłoniach przestanie stawiać opór jak martwy przedmiot, tym bardziej będzie wolny jako cytrzysta, a jednocześnie będzie coraz doskonalszy. Podobnie jest z wolnością człowieka. Z tym, że tam, gdzie chodzi o nasze człowieczeństwo, wolność jest już tylko „wolnością do...". Wszystko możemy wybierać, nie możemy jednak wybierać własnego człowieczeństwa. Nie można zatem być wolnym człowiekiem, nie usiłując odpowiedzieć na pytanie o prawdę bycia człowiekiem. „Bez trudu można zrozumieć, że w czasach, kiedy zniszczone więzy tradycji zakwestionowały swoją słuszność, tendencja do wolności staje się przesadna, w trampolinie widzi się cel, a w dobru funkcjonalnym dobro substancjalne. Co więcej, stanowi to próżny sentymentalizm użalać się na fakt, że wolność stała się przedmiotem eksperymentów. Możliwe, iż jest to cecha czasów bez busoli, że ludzie rzucają na szalę swoje życie tak, jak gdyby wyrzucali sondę w celu określenia swojego położenia i kierunku, jaki należy obrać. Rzucają na szalę swoje własne życie. Dokonywanie tego rodzaju eksperymentu stanowi bezsporne ryzyko, o którym nie ma co dużo dyskutować. (...) Tym, którzy ryzykują siebie samych, wolno skoczyć i runąć w kołyszącą się próżnię, gdzie gubią się zmysły oraz kierunek, lub poprzez nią i poza nią w jakiś rodzaj istnienia. Ale nie wolno im robić z wolności jakiegoś teoremu czy programu. Stawać się wolnym od więzów to nasz los, ale należy go nosić jak krzyż, a nie jak ozdobną kokardę"[18].

Wolność nie może być dla samej siebie celem, ponieważ akty wolności nie są spełniane w aksjologicznej pustce. Wolność zawsze odnosi nas do wartości. Dodaje ona do świata nową wartość i w tym znaczeniu jest absolutna. Dzięki niej ta wartość się urzeczywistni. Wolności doświadcza człowiek w wyborach. Wyboru nie dokonuje się jednak dla niego samego. Wybieramy, aby coś urzeczywistnić, a tym, co jest urzeczywistniane, jest zawsze jakaś wartość (pozytywna lub negatywna). Także sama wolność jest wartością. Nie można uciec od wyboru, gdyż także ucieczka jest wyborem[19]. Dlatego nie mówimy o wolności tam, gdzie rozpatrujemy możliwość wyboru między (przepraszam za trywialność) podrapaniem się w głowę a poruszeniem ramieniem. Wolność pojawia się w świecie, w którym istnieje prawda i nieprawda, szczęście i nieszczęście, sprawiedliwość i niesprawiedliwość, uczciwość i nieuczciwość, honor i podłość. Wolność nie pojawia się w neutralnej przestrzeni. Być człowiekiem, być wolnym jako człowiek, to pozostawać w odniesieniu do wartości, które same przez swe istnienie wzywają do urzeczywistnienia.

---

[18] M. Buber, *Wychowanie*, dz. cyt., s. 450.

[19] Por. J. Tischner, *Świat ludzkiej nadziei*, Kraków 1993, s. 149.

Chociaż wolność nie jest celem dla siebie samej, nie jest także zdeterminowana przez wartości. Dlatego znajduje się w sytuacji antynomicznej. Człowiek musi być wolny nie tylko wobec łańcuchów przyczynowości świata, lecz także wobec samych zasad moralnych czy wartości. Jeżeli jest wolny, to musi mieć możliwość zdecydowania, czy jest za, czy przeciw danej wartości. I dlatego, jeśli w tradycji wolność była rozpatrywana w odniesieniu do przyczynowości (spór indeterminizmu z determinizmem), filozofia nowożytna rozpatruje ją w aspekcie możliwości dobra i zła. „Wolność jest właśnie możliwa jedynie do dobra oraz do zła. Jeśli wola może kierować się tylko na dobro, to nie jest wolna"[20].

Z jednej strony, wolność, jak głosił Immanuel Kant, jest posłuszeństwem prawu moralnemu. A „będąc w pośrodku świata wartości, wolność jest przede wszystkim afirmacją wartości pozytywnych"[21]. Wartości określają naszą wolność i nadają jej sens. Z drugiej jednak strony, wartości nie mogą determinować człowieka, ponieważ wówczas determinowałyby go tak, jak przyczynowe prawa przyrody. Jeśli Kantowską antynomię między zdeterminowanym przez przyczynowość światem zjawisk a wolnym światem rzeczy w sobie nazwał Hartmann antynomią przyczynowości, tę drugą określił mianem antynomii powinności[22]. Oznacza ona na przykład, że wprawdzie p o w i n n i ś m y być sprawiedliwi, m o ż e m y jednak być niesprawiedliwi właśnie dlatego, iż jesteśmy

---

[20] N. Hartmann, *Najważniejsze problemy etyki*, dz. cyt., s. 1452.
[21] J. Tischner, *Świat ludzkiej nadziei*, dz. cyt., s. 157.
[22] Por. N. Hartmann, *Najważniejsze problemy etyki*, dz. cyt., s. 1452.

wolni. Człowiek jest więc dwojako wolny: najpierw wobec determinacji przyczynowych praw świata, po drugie – wobec prawa moralnego i wartości. Powinniśmy być wspaniałomyślni, bezinteresownie afirmować wartość dla niej samej i urzeczywistniać ją ze względu na nią samą. Możemy jednak również tego nie czynić. Sens wolności ukazuje się więc przez to, co dzięki niej może zostać urzeczywistnione – albo urzeczywistnione nie będzie.

Wychowanie do wolności winno zakładać ową dramatyczną antynomię. Punktem wyjścia wszelkiego wychowania musi być szacunek dla wolności wychowanka. Wartości „stoją wolnością", to znaczy nie mogą być urzeczywistnione przez autorytarny przymus. Nie mogą być urzeczywistnione, o ile nie są wybrane w wyniku wolnej decyzji. Dlatego wychowanie do wolności musi być wychowaniem antyautorytarnym. W wychowaniu nie chodzi bowiem o wykształcenie przyzwyczajeń i nawyków, ale o wspaniałomyślne korzystanie z własnej wolności. Z jednej strony, wychowawca nie może kryć przed wychowankiem dramatu, w jaki uwikłana jest ludzka wolność, z drugiej jednak, zadaniem edukacji jest nie tylko nauka myślenia, lecz także wspaniałomyślności.

Jeśli tak ma się rzecz z ludzką wolnością, to wychowywać do wolności może tylko ten pedagog, który sam jest wolnym człowiekiem. Tylko wolny pedagog jest zdolny do afirmacji *wolności* wychowanka. Tylko on jest zdolny do *afirmacji* tej wolności. Zdolny do afirmacji jest taki pedagog, który wychowuje świadectwem własnej wspaniałomyślności. Takie wychowanie – jako spotkanie wolnych osób – sytuuje się pośrodku, między wychowaniem autorytarnym, w którym wolność jest zduszona, a absolutnie liberalnym, gdzie całkowicie uwolniona, nie znajdując kierunku, rodzi chaos. Wychowawca, który sam jest wspaniałomyślny, odsłania wychowankowi świat wartości i nie przymuszając, wskazuje mu kierunki, w jakich może urzeczywistnić się jego wolność. Wartości, które sam wychowawca urzeczywistnia, nie przymuszają, ale nie pozostawiają też zupełnie otwartego pola, ponieważ mają one w sobie moc wzywającą do urzeczywistnienia, odpowiadającą najgłębszym pragnieniom człowieka. Oczywiście, o ile wierzymy w takie pragnienia. Afirmujące wolność wychowanie powinno więc wskazywać wolności właściwy ład (etos).

Wolność nie jest celem sama dla siebie, ponieważ jest tym, co „międzyludzkie". Niejednokrotnie wolność przeciwstawia się przymusowi. Rację ma jednak Buber, twierdząc, że na biegunie przeciwnym do przymusu nie znajduje się wolność, lecz wspólnota – więź. A wolność jest tym, co umożliwia więź. Jest czymś na podobieństwo kładki, po której się przechodzi, ale na której się nie mieszka. „Przymus stanowi rzeczywistość negatywną, wspólnota jest rzeczywistością pozytywną, wolność jest możliwością. (...) Na przeciwnym biegunie od przymuszenia przez los, naturę czy ludzi nie znajduje się wolność od losu (stoicyzm), natury czy ludzi (samowola), ale życie w łączności i przymierzu z nimi. Jest prawdą, że aby to urzeczywistnić, trzeba się najpierw uniezależnić: lecz niezależność ta stanowi kładkę, a nie miejsce stałego zamieszkania"[23].

---

[23] M. Buber, *Wychowanie*, dz. cyt., s. 449.

ZAKORZENIENIE

Wolność nie jest jednak tylko możliwością więzi, jak sądził Buber, lecz sama jest w ogóle możliwa dzięki więzi i zakorzenieniu. Zastanówmy się nad tym, co oznacza stwierdzenie: „ja jestem wolny". Co oznacza „ja"? Przede wszystkim oznacza to, że wolność jest moją własną wolnością, a nie wolnością cudzą, która działa we mnie. W niej wyraża się moje własne „ja". Jestem wolny, o ile moje czyny są moimi własnymi czynami, o ile mogę samego siebie określić jako ich sprawcę i odkryć w nich swoją niepowtarzalną osobę. Oznacza także świadomość własnego zakorzenienia. „Ja" jestem zakorzeniony w ziemi, na której się urodziłem, w kulturze i religii, w jakiej zostałem wychowany, w wartościach, które zostały mi przekazane, w mowie, którą mówię, w rodzinie, w więziach przyjaciół i bliskich. To wszystko jest moje: ziemia, język, religia, kultura, wartości, rodzina, przyjaciele, bliscy. Te wszystkie związki określają mnie, moje „ja". Dopiero tak świadom mnie samego mogę mówić i rozumieć moją wolność. Wolność nie jest więc jakimś abstraktem, wyzwoloną siłą. Jej fundamentem jest moje konkretne i określone „ja".

To zakorzenienie nie stanowi dla wolności ograniczenia, gdyż jest właśnie warunkiem jej istnienia. Bez tego zakorzenienia wolność może przemienić się w niszczącą siłę. Nie oznacza to oczywiście, że nie mogę zmienić ojczyzny, języka czy przyjaciół. Mogę je zmienić właśnie dlatego, że jestem wolny. Ale przecież będzie to zawsze określone zakorzenienie. I wierność temu zakorzenieniu jest warunkiem bycia wolnym. Wolność nie może więc podcinać swoich korzeni. Niszcząc własne korzenie, ginie. Natomiast im bardziej jest wierna sobie, tym bardziej jest moja, a im bardziej jest moja, tym bardziej jest wolnością, która mnie wiąże z ziemią mojego urodzenia, z wartościami, kulturą, religią, z ludźmi. Zakorzenienie więc zobowiązuje. „Kocham rozbłysk wolności – pisał Buber. – Jej światło tryska z ciemności i gaśnie, ale pozostawia twoje serce nie do zranienia. Jestem oddany wolności, jestem gotowy razem z innymi walczyć za nią; za ten rozbłysk światła, który nie trwa dłużej, niż może znieść oko; za drganie tego języczka zbyt długo trzymanego w bezruchu i bezczynności. Lewą rękę podaję buntownikowi – a prawą heretykowi: naprzód! Ale nie dowierzam im. Oni umieją umrzeć, ale to za mało. Kocham wolność, ale nie wierzę w nią. Jak mógłby ktoś wierzyć w nią spojrzawszy w jej twarz? Jest ona błyskiem znaczenia obejmującego wszystkie znaczenia, możliwości obejmującej wszelką możliwość. O nią ustawicznie walczymy od naszego zarania, zawsze zwycięsko i zawsze daremnie”[24].

Navigare necesse est („żeglować jest rzeczą konieczną”) – mówi stare przysłowie. Konieczną rzeczą jest być wolnym, lecz wolność potrzebuje kierunku i miłości. Bez nich nie osiągnie celu, jak żaglowiec bez kompasu i wody.

[24] Tamże, s. 450.

WOLNOŚĆ I ODPOWIEDZIALNOŚĆ

> Jeżeli się spojrzy na nasze czasy, wydają się tak smutne; zastanawia się człowiek, czy istnieje jeszcze coś, co się nazywa odpowiedzialność, czy oznacza to jeszcze cokolwiek. Wszyscy chcą rządzić, nikt nie chce ponosić odpowiedzialności. Pamiętamy jeszcze świeżo francuskiego męża stanu, który, kiedy mu ofiarowywano ponownie tekę, powiedział, że zgadza się na to, ale z zastrzeżeniem, że sekretarz stanu będzie ponosił odpowiedzialność. Król we Francji, jak wiadomo, nie jest odpowiedzialny, ale minister jest, minister nie chce być odpowiedzialny, ale chce być ministrem, sekretarz stanu nie chce być odpowiedzialny i ostatecznie kończy się na tym, że odpowiedzialni są nocni stróże i zamiatacze ulic[1].

„Podejmowanie pytania, czym jest wolność, wydaje się przedsięwzięciem beznadziejnym. Natychmiast bowiem odwieczne sprzeczności i antynomie, które jakby tylko czyhały na tę chwilę, wpędzają nasz umysł w rozmaite dylematy, wskutek czego uchwycenie istoty wolności lub jej przeciwieństwa (w zależności od podejścia do problemu) staje się równie niemożliwe, jak zrozumienie kwadratury koła"[2]. Te odwieczne sprzeczności i antynomie

---

[1] S. Kierkegaard, *Albo – albo*, dz. cyt., t. I, s. 158–159.

[2] H. Arendt, *Co to jest wolność*, w: *Między czasem minionym a przyszłym*, Warszawa 1994, s. 175.

są, według Hannah Arendt, skutkiem błędnego spojrzenia na wolność. Tradycja filozoficzna zamiast wyjaśnić ideę wolności tak jak dana jest ona w doświadczeniu, wypaczała ją. Do błędu doszło wskutek przeniesienia wolności z jej pierwotnego obszaru, z dziedziny polityki i spraw międzyludzkich, w obręb sfery wewnętrznej, czyli woli[3]. Tak rozumiana wolność stała się jedną z ostatnich wielkich kwestii metafizycznych. Nie pojawiała się jako taka w myśli starożytnej (od presokratyków do Plotyna). Dopiero w naszej tradycji filozoficznej stała się czymś oczywistym, przede wszystkim wskutek przeżyć św. Augustyna związanych z jego nawróceniem. To właśnie Augustyn (według Arendt) wprowadził w horyzont naszego myślenia wolność jako fakt wewnętrzny, a Kartezjusz, który podjął dziedzictwo jego myśli, utrwalił ją w postaci samotnego podmiotu. Natomiast wolność w dziedzinie polityki, jako fakt życia codziennego, znana była od starożytności. „Wolność (lub jej przeciwieństwo) uświadamiamy sobie pierwotnie podczas obcowania z innymi, a nie z samym sobą"[4] – pisała Arendt. Nie można zatem być wolnym samemu.

Przytaczając te uwagi Arendt, nie zamierzam oczywiście iść jej śladem i analizować pojęcia wolności politycznej. Chciałbym raczej, idąc śladem Józefa Tischnera i komentując jego określenie wolności jako „sposobu istnienia dobra"[5], ukazać głębsze, moralne źródło wolności jako tego, co międzyludzkie; źródło, u którego człowiek – od-

---

[3] Por. tamże, s. 177.

[4] Tamże, s. 181.

[5] J. Tischner, *Spór o istnienie człowieka*, Kraków 1998, s. 291.

krywając, że j e s t wolny, a nie tylko – że ma wolność – doświadcza jednocześnie etycznego wymiaru wolności, czyli odpowiedzialności.

WOLNOŚĆ I AUTENTYCZNOŚĆ

Podstawowym rozróżnieniem, które będę usiłował wprowadzić, jest rozróżnienie między „mieć wolność" i „być wolnym".

Gdyby człowiek był sam, wolność w ogóle nie mogłaby się pojawić. Być może doświadczałby swobody jako otwartości przestrzeni, zarówno zewnętrznej, jak i wewnętrznej, oraz jako pewnych możliwości, które zgodnie ze swą naturą mógłby w tych wymiarach realizować. Wolność wyrażałaby się zatem w przekonaniu, że to ja chcę, ja mogę, ja o sobie samym decyduję, ja wybieram i rozstrzygam. Jednak i w takim doświadczeniu, w którym wolność wydaje się być czymś przez nas posiadanym, wyrażającym nasze własne istnienie, musimy przynajmniej założyć istnienie drugiego człowieka. Nawet bowiem wówczas, gdy zazdrościmy ptakom („wolny jak ptak"), to nie zazdrościmy im umiejętności lotu ze względu na sam lot (braku takiej możliwości nie doświadczamy jako ograniczenia naszej wolności), lecz tęsknimy za swobodą, będąc na przykład zamknięci w więzieniu. Ktoś jednak tam nas zamknął. Wolność (czy też jej zaprzeczenie) pojawia się dopiero w relacjach międzyludzkich. W swej istocie, w sposób pierwotny jest czymś, co musi brać pod uwagę zarówno własne istnienie, jak i istnienie innego człowieka. Dlatego relację człowieka do przestrzeni, zarówno przestrzeni fizycznej, jak i „przestrzeni możliwości", chciałbym określić jako posiadanie wolności („mieć wolność"). Wolność posiadana ma charakter przedmiotowy. Natomiast relację człowieka do człowieka chciałbym określić jako „bycie wolnym". Związana jest ona z naszym istnieniem i istnieniem innych ludzi, ma charakter metafizyczny.

To, co jest wspólne jednemu i drugiemu wymiarowi wolności (zarówno jej posiadaniu, jak i byciu wolnym), to fakt, że wolność jest czymś osobistym, osobowym. Wolności doświadczamy jako możliwości początku, autonomii. Jestem wolny, o ile moje działanie ma swój początek we mnie, o ile jest moim własnym działaniem. Jestem wolny w takiej mierze, w jakiej ja sam to działanie określam. Musimy przezwyciężyć tu możliwość błędu, na który wskazał Max Scheler.

Wolność często kojarzona jest z ideą niezdeterminowania. Ta idea ma charakter negatywny i wyraża tylko tyle, że jakiś fakt nie determinuje innego faktu. Brak determinacji nie oznacza jednak jeszcze wolności, która ma charakter pozytywny. Pojęcie niezdeterminowania jest synonimem pojęcia przypadku. Z jednej strony mamy więc przeciwieństwo pary pojęć: niezdeterminowanie – determinacja, z drugiej: wolność – przymus. Zakresy pojęć w obydwu parach nie pokrywają się ze sobą: ani determinacja z przymusem, ani niezdeterminowanie z wolnością. Jeśli bowiem na przykład ktoś w sposób wolny postanawia zawsze przestrzegać pewnych określonych zachowań, postępować tak samo w tych samych warunkach, to zewnętrzny obraz jego zachowania, jego postępowania nie będzie zawierał nic przypadkowego. Taki człowiek będzie całkowicie obliczalny. Możemy przewidzieć, jak się zachowa, a mimo to nie będzie mniej wolny.

Postępowanie wolne nie jest więc przypadkowe. To bowiem, co pozwala nam wierzyć w czyjąś wierność – w wierność przyrzeczeniom, w trwałość uczuć, w stałość przychylności czy dobroci – a więc to wszystko, co stanowi istotę międzyludzkich relacji, to właśnie wiara w wolność drugiego człowieka i ufność pokładana w tej wolności; wiara, że zmieniające się okoliczności czy sytuacje nie zmienią nastawienia lub postępowania drugiego. Człowiek im bardziej jest wolny, tym bardziej jest obliczalny. Natomiast człowiek nieobliczalny nie jest wolny, ale kapryśny lub szalony[6]. Szczególnie jest to widoczne w doświadczeniu miłości. Miłość bowiem w sposób wyjątkowy zakłada wolność i wyklucza przymus. Jeśli między dwiema osobami istnieje miłość, to związana jest ona z głębokim przekonaniem o jej trwałości, o niemożności unicestwienia jej przez zewnętrzne doświadczenia czy zmiany; miłość pozostawia drugiej osobie pełną wolność, potwierdzając ustawicznie gotowość do niewywierania żadnego przymusu, na przykład w wypadku zdrady. I w tej wolności drugiego pokłada nadzieję. Jeżeli bowiem mamy przekonanie, że drugi jest nam wierny nie w sposób wolny, ale tylko z powodu lęku, korzyści czy przyzwyczajenia, to nie uważamy tego za godne, a nawet rodzi się wątpliwość, czy w ogóle jeszcze możemy mówić o miłości. Max Scheler pisze: „Zachodzi nawet taki istotny związek, że z im większą wolnością spełniony jest pe-

[6] M. Scheler, *Rozważania dotyczące fenomenologii i metafizyki wolności*, przeł. A. W. [Adam Węgrzecki], „Znak" 1963, nr 113, s. 1276.

wien akt, czyli im bardziej określa go sama osoba, a nie jej związki z poszczególnymi sytuacjami czy przeżyciami, tym dłużej ten akt trwa i przenika całość duchowego życia osoby"[7]. „Z im większą wolnością..." – a więc bardziej autentycznie, bardziej źródłowo. Ten autentyczny wymiar wolności utożsamiamy z samą osobą. Osoba, wolność, autentyczność są więc pod pewnym względem synonimami.

W związku z tym wymiarem wolności chciałbym zwrócić uwagę na dwie rzeczy. Najpierw na poznanie wolnego działania człowieka. Otóż trudno na podstawie jedynie zewnętrznych przejawów czyjegoś postępowania rozeznać, czy ktoś zachowuje się w określony sposób dzięki przyzwyczajeniu, czy dzięki wolności. Gdy mnie pozdrawia, gdy zachowuje się zgodnie z panującymi obyczajami, to czyni tak, bo tak go przyzwyczajono, bo uważa to za koniunkturalne, korzystne dla siebie – czy też czyni to w sposób wolny? Przystosowując się do stawianych mu wymagań, przybiera maski lub pozy, ale nie jest wolny, gdyż nie jest autentyczny. Człowiek wolny nie udaje tego, kim nie jest. Staje w całej prawdzie swojej ludzkiej osoby. Doświadcza związku ze swymi czynami na podobieństwo związku artysty ze swoim dziełem. „Nazywamy wolnym akt, wypływający z ja, i tylko z ja – pisał Bergson. – Akt, który nosi znamię naszej osoby jest prawdziwie wolny, ponieważ tylko nasze ja może rościć sobie prawo do jego ojcostwa"[8]. Bergson, jak wiadomo, odróżniał w związku

---

[7] Tamże, s. 1277.

[8] H. Bergson, *Essai sur les données immédiates de la conscience*, w: *Oeuvres*, Paris 1959, s. 113.

z tym „ja głębokie" od „ja powierzchniowego". Wynika z tego zatem: 1) że wolność to sprawa osobowej głębi; 2) że im z większych głębi naszego osobowego istnienia ona wypływa, tym bardziej jesteśmy wolni; 3) że tak rozumiana wolność pozostanie dla nas tajemnicą.

Druga uwaga dotyczy natomiast obawy przed wolnością. Jestem świadom, że to, co stwierdziłem, stanowi zaprzeczenie powszechnego przekonania. Raczej sądzi się, że wiara w wolność prowadzi do zniszczenia wszelkiej pewności, możności zaufania, że wiedzie nawet do chaosu. Przekonanie to jest jednak wytworem „lęku przed wolnością". Każdy zna ten lęk. Lęk rodziców przed uznaniem wolności swoich dzieci. Lęk wychowawców przed wolnością wychowanka, lęk kochającego przed zdradą. Jakże trudno jest kochającemu pozostawić wolność kochanemu i spodziewać się kontynuacji jego nastawienia od niego samego, a nie od moralnych czy prawnych środków ochrony. A jednak jedynym węzłem, który łączy małżonków, rodziców z dziećmi, przyjaciół czy ukochanych jest pełne pozostawienie wolności ich własnej osobie, uznanie jej i liczenie na nią.

Autentyczne relacje międzyludzkie muszą zawsze rozpoczynać się od uznania jednostkowego istnienia każdej osoby właśnie ze względu na tę jej metafizyczną wolność, ze względu na to, że każde indywidualne istnienie jest początkiem, a zatem nie może być zredukowane do czegokolwiek. Osobie należy się afirmacja nie ze względu na jej przymioty, lecz ze względu na to, że jest osobą, z powodu jej wolności. W szczególny sposób da się to dostrzec w sytuacji osób spotykanych po raz pierwszy. Martin Buber pisał o wychowawcy: „Oto wchodzi on po raz pierwszy do klasy, widzi ich skulonych przy stolikach, rozmieszczonych przypadkowo, źle lub dobrze zbudowanych, o twarzach pustych, zwierzęcych albo szlachetnych – ma przed sobą obecny jak gdyby stworzony wszechświat. Spojrzenie wychowawcy akceptuje i przyjmuje ich wszystkich. Nie jest on z pewnością potomkiem greckich bogów, którzy porywali swoich wybrańców. Wygląda mi raczej na przedstawiciela prawdziwego Boga. Bo jeżeli Bóg »kształtuje światło i stwarza ciemność«, człowiek jest zdolny to i to pokochać – pokochać światło dla niego samego i ciemność dla światła przyszłego”[9].

„Wolność jest sposobem istnienia dobra” – pisał Tischner. Nie ma zatem innej drogi do dobra, także osobistego dobra osoby, jak droga jej wolności. Czytamy u Johanna Gottlieba Fichtego: „Wolno człowiekowi dla swych celów posługiwać się jako środkiem nierozumnymi rzeczami, lecz nie istotami rozumnymi: nie wolno mu nawet posłużyć się nimi jako środkiem dla ich własnych celów; nie wolno mu wpływać na nie jak na martwą materię lub na zwierzę, aby przy ich pomocy osiągać swe cele, nie licząc się z ich wolnością. Nie wolno mu żadnej rozumnej istoty uczynić cnotliwą, mądrą lub szczęśliwą wbrew jej woli. Pomijając już, że byłby to wysiłek daremny i że nikt nie stanie się cnotliwy, mądry lub szczęśliwy bez własnej pracy i własnego trudu, pomijając więc, że człowiek nie może tego uczynić, nie powinien też tego chcieć, nawet gdyby mógł lub wierzył, że może, gdyż jest to niesłuszne i popada przez to w sprzeczność sam z sobą”[10]. A Henryk

---

[9] M. Buber, *Wychowanie*, dz. cyt., s. 453.

[10] J. G. Fichte, *Über den Gehlerten*, Berlin 1956, s. 132.

Elzenberg stwierdził krótko: „W ostatecznym rachunku wolność jest lepsza od narzuconej doskonałości"[11].

Nie ulega wątpliwości, że to właśnie ryzyko związane z wolnością – a raczej z brakiem odpowiedzialności – rodzi lęk przed uznaniem wolności innego. Ryzyko to jest potrójne. Po pierwsze, obawiamy się negatywnych skutków wolności innego. Nie tylko zła, ale niewłaściwego, w naszym mniemaniu, kierunku realizacji czyjejś wolności. Człowiek nie jest bowiem związany z otaczającym go światem jak zwierzę, poprzez instynkt. Właśnie jako istota wolna może wybierać kierunki samorealizacji, otwierać nowe światy i nowe wymiary istnienia. I właśnie tego się obawiamy.

Po wtóre, jest to ryzyko rozminięcia się z właściwą chwilą, właściwą porą. Cała mądrość życiowa człowieka polega na umiejętności uchwycenia tej właściwej pory, która mieści się gdzieś między „za wcześnie" i „za późno". Swoją porę ma także wolność. Uświadomiłem to sobie, obserwując kiedyś pewną sytuację, która na trwałe pozostała mi w pamięci. Będąc w górach, zauważyłem, jak matka uczyła jeździć na nartach swego kilkuletniego syna. Maluch jechał przed matką, ale nie był wolny. Nie był nawet swobodny. Matka trzymała go z tyłu na przymocowanym do ubrania pasku, kontrolując jego ruchy i dając odpowiednie znaki. Przyglądałem się temu widokowi i uświadomiłem sobie, że kiedyś nastąpi chwila, w której będzie musiała go odpiąć, rozłączyć się z nim. Kiedy jednak powinno to nastąpić? Jeśli uczyni to zbyt wcześnie, dziecko może zrobić krzywdę sobie

[11] H. Elzenberg, *Kłopot z istnieniem*, dz. cyt., s. 435.

lub innym. Jeśli natomiast uczyni to zbyt późno, może ono już nie chcieć, czy nawet nie potrafić się z nią rozłączyć.

Właśnie tu możemy dostrzec zasadniczą różnicę między czymś, czego się najczęściej nie rozdziela: posiadaniem wolności i byciem wolnym. Czy człowiek ma wolność, czy jest wolny? Często używamy tych sformułowań zamiennie. O kimś, kogo wypuszczono z więzienia, mówimy, że zwrócono mu wolność, czyli że znów „jest" wolny. Lub mówimy, że ktoś jest wolny, by uczynić to lub owo, mając na myśli, że ma on wolność, że nią dysponuje. Słowa są jednak mylące. Wolność posiadana jest czymś zewnętrznym, czymś, czym dysponujemy, z czego możemy skorzystać. Natomiast bycie wolnym dotyczy naszego własnego osobowego istnienia. Nie stanowi jakiejś przynależnej nam cechy, ale jest metafizyczne. „Ponieważ wolnością naszą jesteśmy my sami, może się ona niekiedy wydawać nam niedostępna"[12] – pisał Marcel. Posiadanie wolności i bycie wolnym mogą się zatem ze sobą rozmijać. Cały dramat polega na tym, że mamy wolność, ale nie jesteśmy wolni, to znaczy nie jesteśmy jeszcze dość dobrzy. Posiadana wolność nie pokrywa się jeszcze z dobrocią naszego istnienia i działania.

„Wolność jest sposobem istnienia dobra". Nie tylko zatem dobro określone jest przez wolność, a droga do dobra jest drogą wolności, lecz także dobro określa wolność. Kiedy znajdujemy się na poziomie posiadania wolności („mam wolność"), możemy chcieć zarówno dobra, jak

---

[12] G. Marcel, *Od sprzeciwu do wezwania*, dz. cyt., s. 77.

i zła. Kiedy znajdujemy się na poziomie „bycia wolnym" („jestem wolny"), może chodzić jedynie o dobro. Istnienie jest dobrem, wyraża się w dobru i poprzez dobro. „Mam wolność" – to znaczy chcę, mogę to lub owo. „Jestem wolny" – to znaczy jestem dobry. Im wyższe jest to dobro, tym większa (głębsza) wolność jest konieczna do jego urzeczywistnienia. Najwyższe dobro wymaga najwyższej wolności. I to jest właśnie trzeci wymiar ryzyka. Kiedy bowiem stajemy wobec najwyższego dobra, możemy wszystko, ale niczego nie musimy.

WOLNOŚĆ I DOBRO

Co to znaczy, że im wyższe dobro, tym większa (głębsza) wolność? W hierarchiach dóbr – począwszy od Platona a na Schelerze skończywszy – najniżej umieszczane są dobra witalne, materialne, wyżej dobra duchowe, a na samym szczycie Dobro najwyższe (*sacrum*, Bóg). Im niżej w hierarchii znajduje się dane dobro, tym mniejszej wolności wymaga jego urzeczywistnienie; im wyżej – tym większej. Możemy nie jeść, ale tylko w ograniczonym czasie i warunkach. W stosunku do dóbr duchowych jesteśmy bardziej wolni. Nie musimy na przykład tworzyć piękna. Najbardziej zaś jesteśmy wolni wobec Dobra najwyższego. Można rzec, że im wyższe jest dobro, tym bardziej szanuje ono naszą wolność, tym bardziej ją budzi i pozwala nam sobie ją uświadomić.

Powróćmy do początkowego stwierdzenia, że wolność możliwa jest dopiero w relacji do drugiego. Czy pojawienie się drugiego ogranicza moją wolność? Oczywiście ani ogranicza, ani nie ogranicza, gdyż – powtórzmy – bez drugiego nie ma wolności w sensie „bycia wolnym". Możliwa jest jedynie wolność w sensie „mieć", w sensie, w jakim odwracam się od innego i realizuję wolność dla samego siebie. W każdym zatem wypadku to „ja" jestem podmiotem wolności. Pytanie tylko, czy mam realizować wolność dla samego siebie. Obecność innego człowieka może, jak sądzę, ograniczyć jedynie moje posiadanie wolności, natomiast nie ogranicza mojego bycia wolnym, a wręcz dopiero mi je uświadamia.

Drugi bowiem pragnie ode mnie dobra. Właśnie dzięki temu wołaniu o dobro, temu zobowiązaniu, do którego mnie wzywa, możliwa jest wolność. W takiej mierze, w jakiej mnie o nie prosi, a ja odpowiadam na prośbę, jestem wolny i odpowiedzialny. Jestem odpowiedzialny, odpowiadając na prośbę o dobro. Wolność tryska zatem z tego samego źródła co odpowiedzialność. W takiej mierze, w jakiej uświadamiam sobie, że jestem wolny, jestem jednocześnie odpowiedzialny. „Wolność oznacza bycie darem w dwojakim znaczeniu; wolnym jest byt, który przyjmuje siebie i który równocześnie ofiarowuje siebie"[13] – pisał Stanisław Grygiel. Najwyższa (najgłębsza) wolność wyraża się w najwyższej (najgłębszej) odpowiedzi na wezwanie ze strony Dobra i możliwa jest tylko za jej cenę. Pytanie tylko, czy chcemy takiej wolności. Czy jesteśmy na tyle wolni, by dać taką odpowiedź?

To, co stwierdziłem, w żaden sposób nie oznacza jakiejkolwiek deprecjacji wolności w znaczeniu posiadania. Jedno nie ulega jednak dla mnie wątpliwości: to właśnie

---

[13] S. Grygiel, *Kimże jest człowiek?*, Kielce 1995, s. 95.

bycie wolnym stanowi ostateczny fundament, w oparciu o który możemy rozpatrywać rozmaite granice posiadania wolności i rozstrzygać konflikty wynikające z tego posiadania (m.in. granice wolności badań naukowych, wolności słowa, prawa do życia). By je rozstrzygać, musimy „być wolni", to znaczy wystarczająco dobrzy. Wolność bowiem „jest sposobem istnienia dobra".

NUDA

> Nuda jest we wszechświecie siłą potężniejszą i działającą daleko powszechniej, niż zwykliśmy to sobie wyobrażać[1].

Nuda kojarzy się nam z czymś monotonnym, jednostajnym, wciąż powtarzającym się, niczym dobrze znany, niezmienny krajobraz, w którym nic nas nie zaskakuje, ani nie dziwi. Skojarzyć ją możemy także z obrazem ludzi, którzy nas nudzą monotonią swoich, z góry znanych i wciąż tych samych wywodów. Nie mówią niczego ciekawego, zabierają nam czas. Niczego się po nich nie spodziewamy. Należą do świata tak jak monotonne krajobrazy.

A jednak Jean Guitton w swym *Liście otwartym* próbował bronić sensu ich istnienia:

> Drogi nudziarzu,
>
> Czekam na pańską wizytę. Jestem pewien, że poczuję się po niej odprężony.
>
> Należy pan do ludzi, których nazywam nudziarzami. Jest pan, istotnie, przerażająco nudny. Ale przecież we wszechświecie wszędzie natykamy się na różne „nudne rzeczy", nudne są morskie fale, drzewa w lesie czy kamyki na piasku. Są do pana podobne. Jedynym sensem ich bycia jest ich ilość, którą tworzą przez swoją monotonię, falowanie, nieistnienie...

---

[1] A.-C. Helvétius, *O umyśle*, przeł. J. Cierniak, Warszawa 1959, t. I, s. 252.

A jednak potrzebuję pańskiej nieobecnej obecności. Tak jak fale potrzebują fal, drzewa – drzew, a wszechświat – samotności. Z pewnością jest pan nudny, ale nie jest pan człowiekiem złym. Nie ma pan polotu, owego *esprit*, jak to nazywają ludzie światowi, który jakże często oznacza jednak zwykłą złośliwość. Nie ma pan ostrego języka, jest pan dobry. Wierny, dokładny, skrupulatny, dbały o detale, jest pan człowiekiem w pełnym tego słowa znaczeniu. Pełnym człowiekiem. Oddanym. I godzina z panem mija szybko.

Jest pan podobny do mebla, ale mebla niezmiennego, wiecznego, który się nie znuży i nie postarzeje. Nie istnieją dla pana ani godziny posiłków, ani odpoczynku. Nigdy, niestety, nie zaświtała panu w głowie myśl o odejściu.

Czasami chcę panu ułatwić podjęcie tej decyzji i przyjmuję go w kapeluszu na głowie, powiadając, że czekają na mnie pod Kopułą... Kiedy jednak mówię panu, że muszę wyjść, pan mi odpowiada: „To doskonale, odprowadzę pana, właśnie idę w tamtą stronę".

Jest pan dla mnie wytchnieniem. Tym, co świat ma najłagodniejszego: jest pan tą jego gładką, jednolitą, monotonną częścią, która przez pewną nudę, jaką z sobą niesie, istnieje tylko po to, aby być odprężeniem dla innych.

Jest pan tkanką; ciągłością; tym, co codzienne, banalne, puste. Mdłym, pozbawionym blasku cieniem. Ale to właśnie na mocy przywileju, analogicznego do pańskiego, gwiazdy świecą, a świat trwa.

Proszę znów mnie odwiedzić![2]

Pojęcie nudy łączymy czasami z odpoczynkiem, bezczynnością. *Dolce far niente* – słodko jest nic nie robić. Dlatego nie zawsze warto płoszyć nudę – twierdził Nietzsche. Umiarkowana nuda może sprawić przyjemność, podobnie jak praca. Czasami bywa utożsamiana z samotnością, z chwilami, w których „zbiera się owe kwadranse najgłębszego powrotu do siebie i natury. Kto się zupełnie

---

[2] J. Guitton, *Listy otwarte*, przeł. E. Burska, Warszawa 1995, s. 91–92.

zabezpieczył od nudy, ten zabezpieczył się też od siebie: najsilniejszego napoju ożywczego z własnego najgłębszego źródła pić nigdy nie będzie"[3]. Z tego właśnie powodu ciekawiła Nietzschego nuda Boga w siódmym dnu stworzenia – w dniu, w którym Bóg odpoczywał. Czy odpoczynek jest jednak nudą? Nie jestem przekonany. Kto potrafi pozostawać sam z sobą, z pewnością się sobą nie nudzi. Przyznaję raczej rację Guittonowi, że kto prawdziwie się nudzi, obnosi swą nudę.

Nie nudnych ludzi mam jednak na myśli, ani to, co Nietzsche nazwał nudą „nic nie robienia", gdy myślę o nudzie.

BEZCZYNNOŚĆ

Na pierwszy rzut oka nudy życia doświadczamy jako czegoś powierzchownego, pustych chwil, które stają się puste zarówno z powodu braku zewnętrznych zajęć, jak i wewnętrznego, duchowego ubóstwa. Nuda dopada tych, którzy nie muszą pracować, nie mają obowiązków, lecz nie mają także zainteresowań. Niewiele jest rzeczy, które potrafią ich zaciekawić.

Nuda zionie zatem z pustki czasu i zmusza ludzi, by usiłowali coś ze sobą zrobić. „Ludzie, którzy się nudzą, jak to ma miejsce we Francji, wynajdują sobie tysiące obowiązków towarzyskich zupełnie nieznanych w innych krajach – pisał Adrien-Claude Helvétius. – Wystarczy wiadomość, że jakaś mężatka jest po połogu, a już ten,

---

[3] F. Nietzsche, *Wędrowiec i jego cień*, dz. cyt., s. 348.

kto nie ma co robić, zaczyna składać jej wizyty, co dzień wystaje pod jej drzwiami, przez szwajcara przekazuje pozdrowienia, aby z kolei znowu zająć miejsce w karecie i jechać gdzie indziej się nudzić.

Kto nie wie, co zrobić z czasem, ten co dzień uważa za swój obowiązek przeczytanie określonej liczby kart i listów grzecznościowych, które się pisze pod przymusem i czyta z niesmakiem.

Człowiek, który się niczym nie zajmuje, chciałby co chwilę przeżywać coś wielkiego, gdyż tylko silne wrażenia zdolne są wyrwać go z nudy. Z ich braku robi, co popadnie. Oto dlaczego w samotności zapala się ogień. Po to, aby mieć towarzystwo. Dlatego Turek czy Pers w pogoni za nowymi przeżyciami ustawicznie coś żują, jeden opium, a drugi tytoń.

Kiedy nuda ogarnia człowieka pierwotnego, siada on wówczas na brzegu strumienia i patrzy w jego nurty. Z tego samego powodu bogacz francuski przepłaca za mieszkanie na wybrzeżu Teatynów, gdyż patrząc na przepływające okręty, przynajmniej od czasu do czasu doznaje jakiegoś innego wrażenia. W ten sposób na rzecz nudy spłaca leń swój coroczny haracz w wysokości trzech do czterech tysięcy franków, który człowiekowi pracy pomógłby ulżyć w niedostatku"[4].

Nuda pustego czasu rodzi wiele zła. Ludzie nudząc się, próbują zabić czas. Nie tylko obnoszą swoją nudę i zanudzają innych, ale czynią także zło. Właśnie w nudzie Kierkegaard doszukiwał się korzeni zła, chociaż czynił

[4] A.-C. Helvétius, *O człowieku, jego zdolnościach umysłowych i wychowaniu*, przeł. J. Legowicz, Wrocław 1976, s. 378–379.

to w charakterystyczny dla siebie, ironiczny sposób. „Jak niebezpieczna jest nuda, przyznają to wszyscy ludzie w stosunku do dzieci. Dopóki dzieci się bawią, dopóty są grzeczne, można to stwierdzić w najściślejszym sensie tego słowa, jeżeli stają się krnąbrne nawet przy zabawie, oznacza to, że zaczynają się nudzić (...). Jeżeliby się chciało otrzymać rozwód dlatego, że żona jest nudna, jeżeliby się żądało abdykacji króla dlatego, że nudno jest patrzeć na niego, czy wygnać księdza na boży świat dlatego, że nudno mówi, dać dymisję ministrowi albo skazać na śmierć dziennikarza za to, że jest rozpaczliwie nudny – to tego zadania nie dałoby się przeprowadzić. Cóż dziwnego, że świat się cofa, że zło coraz bardziej świat zalewa, kiedy wzrasta nuda świata, a nuda jest korzeniem wszelkiego zła. Można tę sprawę prześledzić od początku świata. Bogowie nudzili się, a więc stworzyli człowieka. Adam się nudził w samotności, powstała więc Ewa. Od tego momentu nuda zakradła się do dziejów świata i rosła coraz bardziej dokładnie w miarę tego, jak rosła liczba ludności. Adam nudził się samotnie, a potem Adam i Ewa nudzili się razem, a potem nudzili się Adam i Ewa, Kain i Abel *en famille*, a potem wzrosła liczba ludzi na świecie i ludy nudziły się *en masse*. Dla rozrywki powzięli myśl zbudowania wieży tak wysokiej, że wierzchołek jej sięgał obłoków. Myśl ta była tak nudna, jak wieża była wysoka, i stała się dostatecznym dowodem, że nuda wszystko zwyciężyła. A potem byli rozproszeni po całym świecie, zupełnie jak teraz zagraniczni turyści, ale nudzili się w dalszym ciągu”[5].

---

[5] S. Kierkegaard, *Albo – albo*, dz. cyt., t. I, s. 324–325.

Podobnego zdania jest Isaiah Berlin, który w nudzie upatruje powodu, dla którego ludzie idą na wojnę albo robią rewolucję[6].

Jeśli nuda jest właśnie taka, to należałoby właściwie zapytać, czy bezczynność, wewnętrzna pustka jest jakimś szczególnym polem, na którym się ona ujawnia, czy też nuda jest czymś głębszym od bezczynności? Czy zatem bezczynność jest przyczyną nudy? Wydaje nam się na pozór, że nuda jest skutkiem bezczynności. Wystarczyłoby zatem znaleźć zajęcie, by przestać się nudzić. Samo jednak zajęcie, praca, krzątanina często niczego nie rozwiązują. Również ludzie czynni doświadczają nudy w tym, co robią. Praca może przezwyciężyć bezczynność, ale nie nudę. „Jeżeli powiemy, że nudę można zwalczyć pracą, wywołuje to niejasności – zauważa Kierkegaard – gdyż bezczynność może być zwalczona przez pracę, gdyż jest to jej przeciwieństwo, ale nuda nie, gdyż widzimy przecie, że najpilniejsi pracownicy, podobni w swym brzękliwym krzątaniu do owadów, są najnudniejsi z wszystkich; a jeżeli się nie nudzą, to tylko dlatego, że pojęcia o tym nie mają, co to jest nuda, ale w ten sposób nudy się nie przemoże"[7].

NUDA METAFIZYCZNA

Nuda rozumiana jako pusty czas nie wyraża najgłębszego poziomu nudy. Drugi, głębszy jej poziom to ten, który Helvétius nazwał chorobą duszy. Jej źródłem jest

---

[6] Por. *Dobrzy ludzie budują gilotynę. Z Sir Isaiahem Berlinem rozmawia Adam Michnik*, w: „Gazeta Wyborcza", 12–13 VIII 1995, s. 12.

[7] S. Kierkegaard, *Albo – albo*, dz. cyt., t. I, s. 329–330.

brak wrażeń na tyle żywych, aby móc w jakiś sposób człowiekiem zawładnąć[8]. Najcelniej opisał ją Kierkegaard: „Jakaż potworna jest nuda – potwornie nudna. Nie znam mocniejszego wyrażenia, prawdziwszego, gdyż tylko jednakowe poznaje się przez jednakowe. Gdyby było jakieś wyższe wyrażenie, mocniejsze, to by już było ruchem. A ja leżę wyciągnięty, bezczynny; jedyne, co widzę, to jest pustka, jedyne, w czym się poruszam, to w pustce. Nawet nie doznaję bólu. Sęp bez przerwy szarpał wątrobę Prometeusza; na Loke bez przerwy spływała trucizna; była to rozrywka, chociaż monotonna. A dla mnie nawet ból stracił rozmaitość. (...) Dusza moja jest jak Morze Martwe, nad którym nie może przelecieć żaden ptak; w połowie drogi zmęczony opada w śmierć i nicość"[9].

Jeśli przejawem powierzchownej nudy jest pustka czasu, przejawem nudy metafizycznej jest pustka duchowa. Pierwszym symptomem, po którym rozpoznajemy tę nudę, jest przyzwyczajenie. Przyzwyczajamy się do zdarzeń, bodźców, które rodzą w nas monotonię. Wodzimy rano wzrokiem po tych samych przedmiotach, słyszymy ten sam dźwięk przejeżdżającego ulicą tramwaju. Co jest jednak przyczyną powstania tego uczucia monotonii? Dlaczego popadamy w monotonię „tego samego", która nie pozwala nam odkryć w świecie i w życiu czegoś nowego? Wydaje się, że nie samo przyzwyczajenie jest tu decydujące. Przyzwyczajenie, bezruch pojawia się tylko

---

[8] A.-C. Helvétius, *O człowieku, jego zdolnościach umysłowych i wychowaniu*, dz. cyt., s. 378.

[9] S. Kierkegaard, *Albo – albo*, dz. cyt., t. I, s. 39–40.

w perspektywie zamkniętego horyzontu. Ten horyzont zamyka beznadzieja.

Nuda ma w swojej istocie wymiar metafizyczny. Mistrzem w opisie metafizycznej nudy był Charles Baudelaire:

> Jestem jak władca kraju, gdzie deszcz siąpi szary
> Wśród swych bogactw bezsilny, wśród młodości stary,
> Który za nic ma dworzan służalcze pokłony
> I wśród psów swoich sfory jest wiecznie znudzony.
> Nic go już nie pociąga, zwierz łowny ni sokół,
> Ni lud, co pod balkonem dogorywa wokół.
> Ulubionego błazna ballada wesoła
> Choremu tyranowi nie rozchmurzy czoła;
> W grobowiec mu się zmienia wyrzeźbione łoże,
> Damy dworu – wszak dla nich piękny każdy książę –
> Nie umieją wymyśleć dość bezwstydnej szaty,
> By choć uśmiech wywołać na obliczu bladym.
> Znawca nauk tajemnych, co mu złoto robi,
> Próżno szukał odtrutki na jad tej choroby.
> W krwi go skąpać próbował rzymskim obyczajem,
> Co to dzierżącym władzę dotąd się przydaje,
> Ale trupa nie zdołał ożywić niestety,
> W którym zamiast krwi płynie zdrój lodowy Lety[10].

Nuda metafizyczna, chociaż jest chorobą duszy, pustką duchową, rodzi się jednak z pełni, z przesytu. Stan nasycenia możemy rozumieć jako realizację wszystkich możliwości, urzeczywistnienie całej ukrytej potencji, spełnienie wszystkich oczekiwań zarówno w znaczeniu przejściowym, jak i ostatecznym. Dlatego najczęściej syndrom nudy pojawia się w święta, które są zwieńczeniem, speł-

---

[10] Ch. Baudelaire, *Spleen*, przeł. M. Zajączkowska-Abrahamowicz, w: *Kwiaty zła*, wybór M. Leśniewska i J. Brzozowski, Kraków 1990, s. 201.

nieniem dni oczekiwania. Kiedy osiągniemy jakiś cel, okazuje się, że otwiera się przed nami otchłań nudy. Taką jest nuda mieszczańska, nuda niedzielnych popołudni, dni świątecznych. Podobnie jest z nudą nieba. To właśnie w niebie umiejscawiamy całą nudę świata. Opowiadamy dowcipy o nudnym niebie, któremu przeciwstawiamy interesujące, pełne niespodzianek piekło. Niebo musi być nudne – mówimy – skoro jest ostatecznym spełnieniem wszelkich oczekiwań. Właśnie wtedy się nudzimy, gdy przestajemy czekać na cokolwiek. Mówiąc językiem metafizyki, nuda powstaje tam, gdzie wszelka możność została zaktualizowana.

Ponieważ jednak w świecie nie została zaktualizowana wszelka możność, a tym bardziej nie stało się tak w rzeczywistości transcendentnej, która nas przekracza i stanowi dla nas tajemnicę, oznacza to, że sam podmiot nudy – człowiek – „zaktualizował się" w sobie. Dla takiego „zaktualizowanego" podmiotu nie istnieje już nic nowego, gdyż w jego wewnętrznej aktualizacji wszystko, co nowe, natychmiast zamienia się w stare, już znane. To, co inne, okazuje się wciąż tym samym. Opis takiego przeżycia nudy zawarł w swej słynnej księdze Eklezjastes. Sama esencja nudy to właśnie owo „nic nowego pod słońcem". „Nic nowego" nie dlatego, by istotnie nie było „pod słońcem niczego nowego", lecz dlatego, ponieważ nie umiemy dostrzec owej nowości.

„Zndzone spojrzenie nie unicestwia, nie niszczy ani nawet nie neguje. Przeciwnie, ruch zniszczenia, właśnie dlatego, że chodzi o ruch, zakłada nieobojętność, podczas gdy cechą charakterystyczną nudy jest ujmowanie w nawias. Nudzie brak wszelkiego, a więc zarówno pozytywnego, jak i negatywnego zainteresowania czymkolwiek, niezależnie od tego, co to jest. Nuda nigdy nie niszczy, lecz ciągle się odwraca (...). Znudzone spojrzenie nie neguje ani nie potwierdza, lecz bez miłości i nienawiści, z czystej obojętności wyrzeka się aż po samowyrzeczenie"[11]. Nuda pozostaje głucha na to, co słyszy, ślepa na to, co widzi, pozostaje obojętna na wszelkie wyzwania i wezwania.

Nuda jest zatem gorsza i o wiele bardziej niebezpieczna od niszczącego zła, od nihilistycznego kwestionowania jakichkolwiek wartości. „Nuda jako taka przestaje się wszystkim interesować. Nie interesuje się niczym. Wobec czegoś, cokolwiek by to było, a więc wobec wszystkiego, jako że wszystko przynajmniej jest, nuda pozostaje obojętna – *mihi non interest*, to mnie nie dotyczy ani nie jest dla mnie; w tym, co tutaj jest, nie chodzi o mnie. Nuda wycofuje się z wszelkiego zainteresowania, które kazałoby jej wejść pomiędzy (*inter*) byty (*interest*)"[12].

Negatywne skutki nudy widoczne są szczególnie w doświadczeniu miłości. Nuda nie prowadzi do nienawiści, gdyż od nienawiści możliwy jest jeszcze powrót do miłości. Nuda jest obojętnością. „Ty ziewasz – mówiła żona do męża. – Moje dziecko – odparł – mąż i żona to jedno; a ja, kiedy jestem sam, nudzę się"[13]. W nudzie nie ma miejsca na to, co nowe. Wszystko jest w niej i dla niej stare, takie samo. Mówimy, „że stara miłość nie rdzewieje", i ziewamy przy tym. Miłość jest teraźniejsza, to znaczy

---

[11] J.-L. Marion, *Bóg bez bycia*, przeł. M. Frankiewicz, Kraków 1996, s. 165, 166.

[12] Tamże, s. 168.

[13] Chamfort, *Maksymy i myśli. Charaktery i anegdoty*, przeł. K. Drzewiecki i T. Boy-Żeleński, Warszawa 1995.

w każdej chwili jest inna i w każdej chwili musi być wyrażana na nowo. Inaczej zabija ją nuda.

Nudy nie przezwyciężą żadne nowe i zaskakujące wrażenia. Nie pokonają jej żadne zmiany ekstensywne. „Nudzi się mieszkanie na wsi, jedzie się więc do stolicy; znudzi się ojczyzna, jedzie się za granicę; jest się zmęczonym Europą, jedzie się do Ameryki itd. – oddaje się człowiek marzycielskiej nadziei o nieskończonych podróżach z gwiazdy na gwiazdę. Albo zmiana jest trochę inna, ale jednak ekstensywna. Nudzi się jeść na porcelanie, je się wtedy na srebrze; jak to się znudzi, można jeść na złocie, pali się pół Rzymu, aby mieć wyobrażenie, jak paliła się Troja. To nie jest dobra metoda, zresztą znosi ona sama siebie i można ją nazwać fałszywą nieskończonością. Co to dało Neronowi? Nic, Marek Aureliusz był mądrzejszy, powiedział: »Możesz zacząć życie nowe. Jeszcze raz przyjrzyj się sprawom tak, jak zwykłeś to czynić. Na tym bowiem polega odrodzenie życia«”[14]. Nie tędy zatem wiedzie droga do przezwyciężenia nudy. Nudę można przezwyciężyć jedynie na drodze wewnętrznej. To, co raz się zrodziło, musi się wciąż odradzać. Życie duchowe musi w każdej chwili rodzić się na nowo.

„Wyobrażam sobie na przykład w swojej zuchwałości – mówiła w Sztokholmie Wisława Szymborska – że mam okazję porozmawiania z Eklezjastą, autorem jakże przejmującego lamentu nad marnością wszelkich ludzkich poczynań. Pokłoniłabym mu się bardzo nisko, bo to przecież jeden z najważniejszych – przynajmniej dla mnie – poetów. Ale potem pochwyciłabym go za rękę. »Nic no-

---

[14] S. Kierkegaard, *Albo – albo*, dz. cyt., t. I, s. 332.

wego pod słońcem« – napisałeś, Eklezjasto. Ale przecież Ty sam urodziłeś się nowy pod słońcem. A poemat, którego jesteś twórcą, też jest nowy pod słońcem, bo przed tobą nie napisał go nikt. I nowi pod słońcem są wszyscy Twoi czytelnicy, bo ci, co żyli przed Tobą, czytać go przecież nie mogli. Także i cyprys, w którego cieniu usiadłeś, nie rośnie tutaj od początku świata. Dał mu początek jakiś cyprys inny, podobny do Twojego, ale nie całkiem ten sam. I ponadto chciałabym Cię spytać, Eklezjasto, co nowego pod słońcem zamierzasz teraz napisać. Czy coś, czym uzupełnisz jeszcze swoje myśli, czy może masz pokusę niektórym z nich zaprzeczyć jednak? W swoim poprzednim poemacie dostrzegłeś także i radość – cóż z tego, że przemijającą? Więc może o niej będzie twój nowy pod słońcem poemat? Czy masz już notatki, jakieś pierwsze szkice? Nie powiesz chyba: »Napisałem wszystko, nie mam nic do dodania«. Tego nie może powiedzieć żaden na świecie poeta, a co dopiero tak wielki jak Ty”[15]. Żaden człowiek dopóki żyje nie może powiedzieć: „nie mam nic do dodania”, „niczego nowego do zrobienia”, nawet stary Eklezjastes.

[15] Cyt. za: „Tygodnik Powszechny” – „Kontrapunkt” 15 XII 1996, s. I.

NADZIEJA

Kto nie może mieć nadziei na nic, niech na nic nie traci nadziei[1].

„Nadzieja jest jak nowy poranek świata, jak wielkie rozpoczynanie od nowa, jak gdyby wcześniej nic się jeszcze nie zdarzyło"[2]. Życie człowieka otwarte jest ku przyszłości. Jeśli nawet cały zanurzony jest w teraźniejszości, wybiega myślą w przyszłość i pyta o to, co nastąpi potem. Co zostanie z owoców jego pracy? Czy przetrwa jego imię? Szczególnie wówczas, kiedy teraźniejszość go rani, z nadzieją myśli o przyszłości. Przyszłość jest przedmiotem planów, zamierzeń i kalkulacji, nie wszystko jednak da się przewidzieć i skalkulować. Przyszłość nie jest przewidywalna ani obliczalna. A jednak chociaż to, co zaplanowaliśmy, okazuje się nieosiągalne, chociaż oczekiwania pozostają niespełnione, nie tracimy nadziei. Nadzieja jest często ostatnią bronią człowieka. Nie tylko pozwala znieść teraźniejszość, lecz także otwiera nowe horyzonty i możliwości.

„Między doświadczeniem nadziei a doświadczeniem przestrzeni życia człowieka – pisał Tischner – zachodzą głębokie powiązania. Ten, kto ma rzetelną nadzieję, widzi przed sobą przestrzeń otwartą, poprzecinaną droga-

---

[1] L. A. Seneka, *Myśli*, dz. cyt., s. 587.

[2] F. Rosenzweig, *Gwiazda Zbawienia*, dz. cyt., s. 451.

mi, zapraszającą do ruchu. Zapewne dlatego symbolem człowieka przenikniętego nadzieją stał się obraz pielgrzyma. Pielgrzymem jest ten, kto dzięki nadziei czyni właściwy użytek z przestrzeni. Przede wszystkim więc podąża on ku jakiejś przyszłości, w której nadzieja umieściła jego cel. Nie lęka się przy tym porzucać balastu przeszłości, jeśli to jest konieczne dla osiągnięcia celu. Zarazem jednak pielgrzym jest tym, kto umie we właściwy sposób podejmować swą teraźniejszość, wybierając z niej to, co prowadzi do celu, a porzucając całą resztę. Trzeba nam mocno podkreślić: ethos pielgrzyma jest ethosem nadziei. Wszystko, co najważniejsze, zależy od nadziei. Jaką jest nadzieja pielgrzyma, taką jest jego przyszłość i jego stosunek do przyszłości, taki jest także jego styl podejmowania teraźniejszości i taki wreszcie jest sens oraz rozmiar przestrzeni, w której żyje. Z małej nadziei człowieka powstaje przestrzeń ciasna, krótkie pielgrzymowanie, płytki wybór wartości w teraźniejszości; z nadziei wielkiej wyłania się przestrzeń rozległa, długie pielgrzymowanie, głęboki wybór teraźniejszości”[3].

Kiedy rozpatrujemy problem nadziei, dostrzegamy, jak trudno zdefiniować jej naturę. Z jednej strony, określamy ją jako ufność, oczekiwanie, że spełni się coś, czego pożądamy: mamy nadzieję, że praca da nam satysfakcję i pozwoli utrzymać rodzinę, mamy nadzieję na odnalezienie bliskiego, który zaginął, na wyzdrowienie, pomimo że lekarze nie dają nadziei na odzyskanie wolności, chociaż wydaje się to beznadziejne. Z drugiej strony, myślimy o nadziei sięgającej poza śmierć, w rzeczywistość, która nada

---

[3] J. Tischner, *Ludzie z kryjówek*, „Znak” 1978, nr 283, s. 57.

ostateczny sens naszym trudom, cierpieniom czy tragiczności. Mówimy jednak także o nadziejach zwodniczych czy złudnych i zastanawiamy się nad tym, czy lepiej jest podtrzymywać w kimś nawet złudną nadzieję, czy też odebrać mu wszelką nadzieję.

Nadzieja odnosi nas do czegoś, co zgodnie z naturalnym porządkiem nie zależy od nas lub nie całkowicie od nas zależy i znajduje się poza obrębem sfery, w której można praktykować stoicyzm. U podstaw nadziei znajduje się świadomość sytuacji, która skłania lub może skłaniać ku rozpaczy. Mieć nadzieję to uwierzyć, że istnieje jakaś siła zdolna przezwyciężyć niebezpieczeństwo, sprawić coś, co po ludzku jest niemożliwe, rozwiązać tragiczny splot zdarzeń.

Nadzieja dotyczy czegoś pozytywnego. Jest oczekiwaniem jakiegoś dobra. Nie mówimy przecież: „mam nadzieję, że zachoruję", albo: „mam nadzieję przegranej". Jednocześnie nadzieja jest podstawą trwałości dobra. Mając nadzieję na czyjąś wierność, przywiązanie, miłość, liczymy, co prawda, na jego wolność i liczymy się z ryzykiem, jakie z wolnością się wiąże, ale w równym stopniu – mamy nadzieję. Mamy nadzieję na trwałość szczęścia, miłości, wierności.

Nadzieja nadaje sens ludzkim ofiarom. Gdyby nie ona, ofiara, jaką człowiek składa na przykład w imię miłości ojczyzny, byłaby pozbawiona sensu. Można by ją uznać wręcz za samobójstwo – gdyby ten, kto ją składa z siebie samego, nie miał nadziei na wolność ojczyzny, za którą oddaje życie. Podobnie w przypadku matki składającej w ofierze własne życie – gdyby nie miała nadziei na życie swego dziecka.

Nadzieja jest możliwa jedynie dzięki temu, że przyszłość jest jednocześnie otwarta i zamknięta. Gdyby przyszłość nie była jakoś otwarta, gdyby nie istniały w niej różne możliwości, także ta, którą uznajemy za najbardziej dla nas korzystną, nie byłoby w życiu ludzkim nadziei. Ale nie byłoby jej także wówczas, gdyby przyszłość nie była równocześnie jakoś przed nami zamknięta, gdybyśmy znali wszystkie prawa rządzące zdarzeniami i mogli wszystko przewidzieć. Nadzieja jest zatem możliwa dzięki temu, że przyszłość ani nie jest całkowicie w naszej mocy, ani też nie jest całkowicie od nas niezależna. „Mając to na uwadze – pisał Epikur – ani nie będziemy oczekiwać niezawodnego jej ziszczenia, ani też nie stracimy nadziei co do możliwości jej ziszczenia się”[4].

Nie ma zatem nadziei bez obawy. Ten dwojaki związek człowieka z przyszłością, który umożliwia nadzieję, ukazuje, że właśnie dzięki nadziei możemy zachować w życiu równowagę między rozpaczą i przesadnym spodziewaniem się spełnienia oczekiwań. Rozpacz zupełnie paraliżuje i zamyka przed nami przyszłość. Przesadne oczekiwanie spełnienia zabija ducha twórczego. Taka przesada cechuje kwietystów, którzy spodziewają się, że coś samo spadnie im z nieba. Kiedy nadzieja jest tak mocna, że usuwa całkiem obawę, wówczas staje się pewnością. Kiedy natomiast obawa staje się zbyt silna, nie dopuszcza zbyt wiele nadziei i zmienia się w rozpacz.

To, czym jest nadzieja i kto jest do niej zdolny, ukazuje się dopiero w perspektywie jej krytyki. Nie wszyscy

---

[4] Cyt. za: Diogenes Laertios, *Żywoty i poglądy słynnych filozofów*, dz. cyt., s. 646.

myśliciele byli i są przekonani, że nadzieja jest w życiu człowieka czymś pozytywnym i ważnym. Baruch Spinoza uważał ją za zbędną emocję, która wprowadza niepokój w nasze życie. Jego zdaniem, powinniśmy kierować się nie emocjami, lecz rozumem. Emocja nadziei nie jest bowiem wolna od obawy, a obawa zawsze rodzi smutek. „Im bardziej tedy staramy się o to, aby żyć powodowani rozumem, tym bardziej staramy się o to, aby uniezależnić się od nadziei i wyzwolić się od obawy oraz panować wedle możności nad swym losem i kierować swymi czynami według niezawodnych wskazań rozumu"[5]. Podobnie z przekąsem wypowiadał się o nadziei Thomas Hobbes: „Apetyt połączony z przekonaniem, że się go zaspokoi, nazywa się nadzieją"[6]. Przeciwnikami nadziei byli też filozofowie Oświecenia. Pisał Chamfort: „Nadzieja jest tylko szarlatanem, który nas oszukuje ustawicznie. I dla mnie szczęście zaczęło się od chwili, kiedy ją utraciłem. Chętnie bym umieścił nad bramą do raju wiersz, który Dante umieścił nad wejściem do piekła: *Lasciate ogni speranza, voi chi entrate* [Porzućcie wszelką nadzieję wy, którzy tu wchodzicie]"[7]. Przeciwnikiem nadziei był także La Rochefoucauld. Jeśli dostrzegał jakąś pozytywną jej stronę, to jedynie tę, że nadzieja, choć niczego nie spełnia, pozwala przynajmniej przejść przyjemniej przez trudne życie[8]. Pełni ona zatem rolę środka odurzającego.

---

[5] B. Spinoza, *Etyka w porządku geometrycznym dowiedziona*, dz. cyt., s. 294.

[6] Th. Hobbes, *Lewiatan*, przekład Cz. Znamierowski, Warszawa 1954, s. 47.

[7] Chamfort, *Maksymy i myśli*, dz. cyt., s. 26.

[8] Por. F. La Rochefoucauld, *Maksymy i rozważania moralne*, dz. cyt., s. 58.

Ten sam motyw pojawił się u Nietzschego. Nikt tak jak on, odwołując się do mitologii, nie próbował przekreślić nadziei. „Nadzieja. – Pandora przyniosła naczynie złego i otworzyła. Był to dar bogów dla ludzi, z zewnątrz piękny, kuszący dar i noszący nazwę »naczynia szczęścia«. I oto wyleciały wszystkie zła, żywe skrzydlate istoty: odtąd krążą wkoło nas i czynią ludziom szkody dniem i nocą. Jedno tylko jeszcze zło nie wymknęło się z naczynia: wtedy Pandora za wolą Zeusa zatrzasła pokrywę naczynia, i tak oto zostało ono wewnątrz. A odtąd człowiek przechowuje stale naczynie szczęścia przy sobie, myśląc, że posiada w nim Bóg wie jaki skarb; jest ono na jego usługi, sięga po nie, ilekroć chętka go weźmie; nie wie, iż naczynie, które przyniosła Pandora, było naczyniem zła, a zło, które zostało w naczyniu, ceni sobie jak największe szczęście: – jest nim nadzieja. – Zeus bowiem chciał, żeby człowiek, choćby jak najbardziej przez inne zła dręczony, nie wyrzekł się jednak życia, lecz jak dawniej i coraz na nowo męczyć się pozwalał. Oto dlaczego daje człowiekowi nadzieję: w istocie jest ona najgorszym złem, ponieważ mękę ludzi przedłuża"[9]. Zgodnie z tą diagnozą nadzieja byłaby więc jedynie siłą, która podtrzymywałaby w Syzyfie chęć życia. Nasz los to los Syzyfa. Nadzieja nic do tego losu nie wnosi. Powoduje jedynie, że pomimo wszystko chcemy jeszcze żyć.

Sądzę, że ta krytyka nadziei, choć słuszna, dotyczy jednak jedynie ludzi tchórzliwych, a nie autentycznie bezsilnych i porażonych przez los. To ludzie tchórzliwi – którzy lękają się o swoją przyszłość, nie mają odwagi spoj-

[9] F. Nietzsche, *Ludzkie, arcyludzkie*, dz. cyt., s. 90.

rzeć życiu w twarz – mogą traktować nadzieję jako lekarstwo przynoszące zapomnienie. Ludzie autentycznie bezsilni, którzy nie są tchórzami, nie uciekają od życia. Wręcz przeciwnie, pomimo bolesnych doświadczeń chcą żyć, pracować i tworzyć. Dla nich nadzieja nie jest ucieczką, łudzeniem się aż do śmierci. Jest twórczą siłą.

Nadzieja jest doniosłą cnotą. Stanowi podstawę twórczej siły życia. Dzięki czemu bowiem ludzie wznoszą na ruinach domów nowe domy? Dzięki czemu grzebiąc w ziemi jedno swoje dziecko, pragną dać życie nowemu? Dzięki czemu nie załamują się w niepowodzeniach, tylko próbują wciąż od nowa? Dzięki czemu, jeśli nie dzięki nadziei? „Zawalanie się domu nie odstrasza nikogo od budowy nowego, a kiedy ogień strawił domostwo, zakładamy fundamenty na ciepłym jeszcze placu, i wiele razy zburzone miasta odważamy się wznosić na tym samym miejscu. Tak niezmordowanie umysł nasz żywi dobrą nadzieję. Gdybyśmy doznawszy niepowodzeń nie mieli ochoty podejmować na nowo wysiłków, ustałaby wszelka praca ludzka na lądzie i morzu”[10].

Nadzieja jest zatem zasadą wszelkiego tworzenia. Wymaga odwagi, trudu i wysiłku. Różnica między pokładaniem w czymś nadziei a zwyczajnym łudzeniem się polega na tym, że ten, kto pokłada nadzieję, musi ze swej strony uczynić wszystko, co umożliwi spełnienie się tej nadziei. Osiągnięcie sukcesów w pracy nie zależy z pewnością jedynie od samego człowieka, ale nie mógłby mieć nadziei na sukces ktoś, kto ze swej strony nie uczyniłby wszystkiego, co możliwe, by ów sukces przybliżyć. Także

---

[10] L. A. Seneka, *Myśli*, dz. cyt., s. 335.

i długie życie nie zależy w pełni od człowieka; iluzoryczna byłaby jednak nadzieja kogoś, kto oczekiwałby długiego życia, a jednocześnie zgubnymi nałogami niszczyłby własne zdrowie.

W związku z tym nasuwają się dwie kwestie. Pierwsza jest następująca: czy tego, co nazywamy nadzieją, nie należałoby raczej określić mianem odwagi? Czy aby pomimo wszystko chcieć żyć, nie jest potrzebne raczej męstwo bycia niż nadzieja? Tak sądził na przykład Henryk Elzenberg: „Beznadziejność, która w mowie potocznej stała się synonimem rozpaczy, nie jest nim ze swej natury; brak nadziei, niespodziewanie się znikąd i po niczym niczego, nie jest powodem, by się oddawać smutkowi – cóż dopiero rozpaczy. »Beznadziejność« to znaczy po prostu, że niczego po swym działaniu ani dla siebie, ani dla świata nie oczekuję: sens, treść i wartość świata są całe w tym oto czynie, wyrażającym mą duszę taką, jaką jest w tej oto chwili. Jeżeli już jakieś pojęcie szczególnie bliskie, to cóż? chyba »męstwo«: męstwo całej naszej postawy wobec istnienia”[11]. Można jednak postawić pytanie: skąd, jeśli nie z nadziei, wypływa męstwo i skąd ostatecznie człowiek czerpie siłę do trwania w przekonaniu, że walka ma sens, że wszelkie dobro, które czyni ma jakieś znaczenie i że ostatecznie przetrwa?

Druga uwaga związana jest z wątpliwością, czy nie jest tym samym „mieć nadzieję” i „spodziewać się czegoś”. Czy można mówić o nadziei tam, gdzie dotyczy to jedynie prozaicznych spraw życiowych (mam nadzieję, że wyjadę na wakacje, że uda mi się wypocząć, że praca przy-

[11] H. Elzenberg, *Kłopot z istnieniem*, dz. cyt., s. 149.

niesie mi sukces)? Czy nie właściwiej byłoby mówić wówczas o spodziewaniu się, zakładając, że nadzieja dotyczy czegoś większego i bardziej doniosłego? Spodziewanie się, pragnienie byłoby wówczas pragnieniem czegoś konkretnego, w miarę przewidywalnego. Natomiast nadzieja sięgałaby dalej. Nie wszystkie nasze oczekiwania i pragnienia spełniają się: jedne tak, inne nie. Ale nawet wówczas, gdy się nie spełniają, nie tracimy nadziei, gdyż w nadziei jest zawsze jeszcze ten element paradoksalny: posiadania nadziei wbrew... nadziei.

Dlatego obok pragnień i oczekiwań lub skończonych nadziei istnieje nadzieja fundamentalna, nieskończona. To ona jest podstawą wszelkich nadziei skończonych. Dotyczy przede wszystkim możliwości przekroczenia ostatecznego horyzontu życia, jakim jest śmierć: jest to nadzieja sięgająca poza śmierć. To ona nadaje ostateczny sens życiu. Drobne nadzieje, jakie mamy, stanowią w gruncie rzeczy figurę tej jednej nadziei. „Wydaje mi się – pisał Marcel – że warunki umożliwiające nadzieję wiążą się ściśle z warunkami rozpaczy. Śmierć jako odskocznia absolutnej nadziei. Świat, w którym zabrakłoby śmierci, byłby światem, w którym nadzieja istniałaby tylko w stanie larwalnym"[12]. A zatem tak, jak śmierć ujawnia istotę miłości, tak też budzi w nas i podtrzymuje ostateczną nadzieję.

Skoro przyszłość jest nieprzewidywalna, nieobliczalna i niezależna od nas – co powoduje, że z nadzieją oczekujemy dobra, szczególnie dobra, które sięga poza śmierć? Wydaje się, że to wiara umożliwia nadzieję. Tak więc nadzieja jest możliwa tylko dzięki wierze. Jeśli bowiem

---

[12] G. Marcel, *Być i mieć*, dz. cyt., s. 80.

zgodzilibyśmy się z przekonaniem, że światem fizycznym rządzi konieczność, a ludzkim życiem przypadek, nie moglibyśmy mieć nadziei. Nie tylko wejście w sferę piekła, ale i same narodziny musiałyby zostać opatrzone dantejskim ostrzeżeniem: „Porzućcie nadzieję wy, którzy tu wchodzicie". Jeśli mamy nadzieję, to dlatego, że wierzymy w obecność Boga w naszej osobistej historii oraz Jego miłość, która kiedyś rozwiąże wszystkie nasze problemy i sprawy. Bez tej wiary nadzieja niczym nie różniłaby się od iluzji, złudzenia podtrzymywanego aż do śmierci, marzenia, że przyszłość spełni to, czego odmawia nam teraźniejszość. A czemu przyszłość miałaby to spełnić?

Jednak tak, jak wiara jest podstawą nadziei, tak też nadzieja jest podstawą wiary. Wiara nie daje całkowitej pewności, jest widzeniem jakby przez zasłonę, dlatego potrzebuje siły nadziei na wciąż nowe akty zawierzenia. To dzięki nadziei wiara może ostać się wobec milczenia Boga. Wiara podtrzymuje więc nadzieję, a nadzieja wiarę.

Rzecz w tym, że ani wiara, ani nadzieja nie są do końca zależne od nas samych. Jednym łatwiej przychodzi uwierzyć, a przez to też mieć nadzieję, innym, choć bardzo tego pragną, uwierzyć – a więc i posiąść nadzieję – jest trudno. Pozostaje jednak jeszcze trzecia z cnót, związana nierozdzielnie z pozostałymi dwiema. Kto nie może znaleźć drogi do nadziei przez wiarę, ten być może łatwiej znajdzie ją przez miłość. Taki sens odnajdujemy w pięknych słowach Miguela de Unamuno: „Miłość zawsze obraca wzrok ku przyszłości i ku niej się wychyla, bowiem jej dziełem jest dzieło naszego uwiecznienia; miłości właściwa jest nadzieja, i tylko nadzieja ją podtrzymuje. A widząc spełnione swe marzenie, miłość zasmuca się i natychmiast odkrywa, że to, ku czemu zmierzała, nie było jej właściwym celem, że przedmiot jej marzeń został jej podsunięty przez Boga jako przynęta, by ją zachęcić do czynu, że cel jej leży dalej, i znów podejmuje swój mozolny marsz poprzez życiowe oczarowania i rozczarowania. A wspominając swoje umarłe nadzieje, dobywa z tych wspomnień nadzieje nowe. Kopalnia wizji naszej przyszłości znajduje się w podziemiach naszej pamięci; wyobraźnia wykuwa nam nadzieje z surowca wspomnień. Ludzkość jest niczym pełna niejasnych pragnień dziewczyna, głodna życia i spragniona miłości, dni swoje tkająca z marzeń, która z nadzieją oczekuje, wciąż i bezustannie oczekuje wiecznego oblubieńca przeznaczonego jej od najdawniejszej przeszłości, wcześniejszej niż jej najdalsze wspomnienia, niż jej dziecięca kołyska, i który żyć będzie z nią i dla niej poza najdalszą przyszłość, poza najdalsze nadzieje, poza grób. A najmiłosierniejsze życzenie dla owej biednej zakochanej jest to samo, co dla dziewczyny wiernie oczekującej umiłowanego: oby słodkie nadzieje z czasu wiosny życia przemieniły się w czas zimowy w jeszcze słodsze wspomnienia, będące źródłem nowych nadziei!”[13]

Jednak i miłość nie jest czymś pewnym. Ukryte jest w niej zawsze pewne ryzyko. Pisał Rosenzweig: „[Miłość] wciąż zaczyna od samego początku. Nie daje się wprowadzić w błąd przez jakiekolwiek rozczarowania. Wręcz przeciwnie, potrzebuje ona rozczarowań, aby nie zmarnieć, aby nie skostnieć w schematycznie zorganizowanym czynie, lecz wytryskiwać ożywczo ze źródła. Nie może ona

[13] M. de Unamuno, *O poczuciu tragiczności życia wśród ludzi i wśród narodów*, przeł. H. Woźniakowski, Kraków–Wrocław 1984, s. 218.

mieć żadnej przeszłości, ani też w sobie samej jakiejkolwiek woli na przyszłość, żadnego celu. Musi być czynem całkowicie zatraconym w chwili. Pomaga jej w tym jedynie rozczarowanie, które wciąż rozczarowuje ją w jej naturalnym oczekiwaniu sukcesu, który może być oczekiwany przez analogię sukcesów przeszłości. Rozczarowanie utrzymuje siłę miłości. Gdyby było inaczej, gdyby czyn był wytworem zaistniałego kiedyś kierunku woli (...), to nie byłby czynem miłości, lecz czynem celowym, a jego stosunek do źródła, do skierowanej woli charakteru, nie byłby wciąż nowym wyłanianiem się w chwili, lecz raz na zawsze zdecydowanym i rozstrzygającym posłuszeństwem"[14]. Co zatem pozwala miłości przetrwać rozczarowania? Co daje jej siłę, aby w każdej chwili mogła umierać po to, by w tej samej chwili rodzić się na nowo? Tę siłę daje jej nadzieja. Tak więc, jak miłość podtrzymuje nadzieję, tak i nadzieja podtrzymuje miłość. „Wiara, która potwierdza się w miłości, miłość, która niesie wiarę w swoim łonie, unoszone są teraz wzwyż na skrzydłach nadziei"[15].

A zatem i miłość sama nie wzbudzi w nas nadziei. Nadzieja jest darem. Co zatem zależne jest tu od nas samych? Pewien ślad możliwej odpowiedzi odnajdujemy właśnie u Rosenzweiga: „Miłość była bardzo kobieca, wiara bardzo męska, jedynie nadzieja jest wciąż dziecięca"[16]. Tego, co zależy od nas i co możemy uczynić, uczą nas dzieci. To postawa otwartości i ufności. Wszystko pozostałe już od nas nie zależy.

---

[14] F. Rosenzweig, *Gwiazda Zbawienia*, dz. cyt., s. 351.
[15] Tamże, s. 451.
[16] Tamże.

ENIGMA CIERPIENIA

> Teodycee drażnią i rozdrażnienie jest wprost proporcjonalne do stopnia stanowczości, z jakim pytanie o zło pojawia się u człowieka. Kiedy stanowczość pytania osiąga najwyższy stopień, jak na przykład u Hioba, wówczas myśl o teodycei zaczyna wydawać się bluźniercza[1].

Cierpienie jest jednym z bardziej dojmujących doznań życiowych. Choć niepojęte i jakże często trudne do udźwignięcia, splecione jest z życiem w sposób nierozdzielny. Nie jest jakimś szczególnym przypadkiem, który się przytrafia, ale czymś, bez czego życie nie byłoby możliwe. Każdy wcześniej czy później doznaje cierpienia, gdyż jest ono ceną, jaką płacimy za życie. Od cierpienia nie można uciec. „Szczęście umyka przed swoim myśliwym coraz dalej. Cierpienie przybliża się do uciekiniera tym bardziej, im szybciej on ucieka"[2]. Zmierza ono jak cień za każdą słoneczną radością życia. Dlatego skarżył się na życie anonimowy starożytny autor:

> Któż by sprostał tobie, o życie, gdyby nie śmierć? Niezliczone twoje niedole – ciężko je dźwigać i umknąć im trudno.

---

[1] L. Szestow, *Ateny i Jerozolima*, przeł. C. Wodziński, Kraków 1993, s. 412.

[2] M. Scheler, *Cierpienie, śmierć, dalsze życie*, przeł. A. Węgrzecki, Warszawa 1994, s. 48.

> Rzeczy, które z natury są piękne – te są dobre: ziemia, morze, gwiazdy, światło księżyca, blask słońca.
>
> A poza nimi – tylko trwoga i ból. Jeśli dasz nam chwilę radości, zaraz płacić za nią trzeba cierpieniem[3].

„Przerażająca jest w każdej chwili suma cierpień na ziemi – pisał Teilhard de Chardin. Gdybyśmy mogli je zgromadzić, ustalić ich łączną objętość, wagę, liczbę, byłyby to wielkości astronomiczne. A jaka przy tym szeroka i bogata gama – od mąk fizycznych po cierpienia moralne! Gdyby można było – dzięki jakiejś nagle powstałej przewodności pomiędzy ciałami i duszami – zmieszać wszystkie udręki i wszystkie radości świata, ciekawe, co by przeważyło – cierpienia czy radości?”[4]

Cierpienia mają rozmaite źródła. Z jednej strony są to różnego rodzaju braki: głód, nędza, choroba, kalectwo, bezradna starość. Z drugiej, namiętności wypływające z międzyludzkich stosunków: miłość, zazdrość, zawiść, osamotnienie. Do nich dołączają cierpienia wypływające z nieszczęść, czy też z tragicznych zdarzeń losu. Te rozmaite źródła cierpienia sprowadzają się właściwie do trzech: do cielesnej natury człowieka, do zła, będącego skutkiem czyichś czynów, i do nieszczęść spowodowanych zdarzeniami losu. Powodują one ból fizyczny i duchowy, który może zrodzić fizyczne i duchowe cierpienie. Wiele jest na ziemi cierpień fizycznych, ale często cierpienia duchowe są o wiele bardziej dojmujące.

---

[3] *Antologia palatyńska*, wybrał i przeł. Z. Kubiak, Warszawa 1978, s. 17.
[4] P. Teilhard de Chardin, *O szczęściu, cierpieniu, miłości*, przeł. W. Sukiennicka i M. Tazbir, Warszawa 1981, s. 88.

BEZRADNOŚĆ CIERPIENIA

Chociaż przyczyną cierpienia jest ból, to cierpienie nie jest tożsame z bólem. Jest ono czymś więcej niż ból – przeżyciem. Bez tego przeżycia bólu, bez refleksji nad nim, bez doznania trudno byłoby mówić o cierpieniu. Choć więc ból dominuje w cierpieniu – i to nie tylko w fizycznym, ale bardziej może nawet w duchowym – to jednak cierpienie nie ogranicza się do samego bólu. Bardziej znaczącą rolę niż ból odgrywają w nim wrażliwość, pamięć, wyobraźnia. Czym więc jest cierpienie?

W cierpieniu doświadczamy przede wszystkim przeżycia bezradności. Cierpimy, gdyż jesteśmy bezradni, bezsilni, bezwolni wobec tego, co stanowi granicę naszej wolności. Cierpimy, ponieważ nie jesteśmy w stanie usunąć bólu fizycznego, gdyż nie możemy ulżyć cierpieniu bliskich nam osób, ponieważ nie możemy czegoś osiągnąć z powodu nieprzekraczalnych ograniczeń tkwiących w nas samych, ponieważ nie możemy zmusić do miłości tego, kogo kochamy, albo dlatego, że nie potrafimy przywrócić życia tym, których ukochaliśmy najbardziej. Wyrazem bezradności jest pełne zdumienia spojrzenie, bezradne rozłożenie rąk i płacz jako przejaw bezsilności. Bezradność cierpienia jest więc ośmieszeniem wolności. Człowiek nie cierpi z tego powodu, że nie może przespacerować się na księżyc, bo taki spacer jest niemożliwy. Cierpi wtedy, gdy dzieje się coś, na co nie ma wpływu, a myślimy tu o zdarzeniach losowych, o uczynkach innych ludzi, a także o tym, co leżało w granicach możliwości wyboru samego człowieka, a co już jest nieodwracalne. W tym ostatnim przypadku człowiek doświadcza swojej bezradności wobec czasu. Jest bezradny wobec przeszłości, nie może jej odwrócić. Dlatego źródłem cierpienia mogą być nie tylko aktualne bolesne przeżycia, ale także wspominanie przeżyć już minionych. Człowiek bywa też bezradny wobec przyszłości. Cierpi, lękając się tego, co może się zdarzyć; cierpi z powodu beznadziejności.

Jeśli cierpienie jest przeżyciem bezradności, to cierpieniem nie można określić trudu lub wysiłku związanego z pracą fizyczną czy zdobywaniem określonych umiejętności. Dlatego trudno zgodzić się w pełni ze stwierdzeniem Tatarkiewicza: „Na ogół każdy kontakt ze światem, przynosząc przyjemności, przynosi też cierpienia. A kontakty przynoszące największe radości, jak praca i miłość, powodują najdotkliwsze cierpienia: praca wymaga mozołu..."[5]. Co prawda, dość powszechnie sądzi się, że rozwój i postęp wymagają trudu, a ten związany jest z cierpieniem i bez niego nie jest możliwy. Gdyby nawet tak było, to nie o takim cierpieniu chcę tutaj mówić. Nie zamierzam także mówić o cierpieniu wypływającym z przesytu i nudy – o których pisał Schopenhauer[6]. Nie ma w nim bowiem, podobnie jak w cierpieniu związanym z trudem i wysiłkiem, poczucia absolutnej bezradności.

Cierpienie jest przeżyciem bezradności także w tym sensie, który odsłania nam sam źródłosłów: w cierpieniu niemożliwa jest jakaś rozstrzygająca rada. Trudno jest radzić innym, jak mają postępować, jakie podjąć decyzje. Żadna bowiem rada nie przystaje w pełni do samego doświadczenia

---

[5] W. Tatarkiewicz, *O szczęściu*, Warszawa 1985, s. 95.

[6] A. Schopenhauer, *Świat jako wola i przedstawienie*, przeł. J. Garewicz, Warszawa 1994, t. I, s. 479–480.

cierpienia. Widać to szczególnie na przykładzie rad przyjaciół Hioba. Nie ma odpowiedzi na bezradne pytania.

Cierpienie jest tym wyższe, im wyższy jest stopień bezradności człowieka. Inaczej cierpi się z powodu chwilowego bólu fizycznego, wobec którego człowiek jest bezradny jest tylko przez krótki czas. Inaczej z powodu krzywdy komuś wyrządzonej, gdy pozostaje już tylko okazać bezradność wobec nieodwracalnej przeszłości. Jeszcze inaczej w sytuacji, która wydaje się trudna do przezwyciężenia, jak w doświadczeniu rozdartego serca czy trwałego konfliktu sumienia. Stopień bezradności jest miarą cierpienia. Trudno nie przywołać tu postaci Syzyfa i Prometeusza. Jeden bezradnie wtaczał kamień pod górę, bez żadnej nadziei, że uda mu się dopełnić dzieła. Drugi tkwił przykuty do skały, nie mając nadziei, że jego cierpienie kiedykolwiek się skończy. Nie na darmo ludzka wyobraźnia wymyśliła te mity. Najwyższe było jednak cierpienie Chrystusa, w którym napięcie bezradności między nieskończoną wszechmocą Ojca a cierpieniem i śmiercią opuszczonego Syna osiągnęło swoje apogeum. Nikt w XX wieku nie pisał o tym tak przejmująco jak Simone Weil: „Chrystus leczący dotkniętych trądem, wskrzeszający zmarłych etc. to część skromna, ludzka, niemal podrzędna jego misji. Część nadprzyrodzona to krwawy pot, niezaspokojone pragnienie ludzkiej pociechy, błaganie, żeby zaoszczędzono mu męki, uczucie, że jest się opuszczonym przez Boga”[7].

Pierwszym rodzajem cierpienia, które narzuca się jako najbardziej widoczne, jest cierpienie fizyczne. Ludzie cier-

---

[7] S. Weil, *Wybór pism*, przeł. Cz. Miłosz, Kraków 1991, s. 90.

piący fizycznie stanowią odrębny, często zamknięty świat. Jest to świat szpitali, domów starców, hospicjów. Czasami możemy ten świat zlokalizować, gdyż każde większe miasto ma rejony, w których mieszczą się szpitale i oddziały szpitalne dla tych najbardziej cierpiących. Najczęściej unikamy tych rejonów, wolimy o nich nie mówić, nie chcąc wchodzić w świat cierpienia. Nie tylko dlatego, że chcemy o nim zapomnieć, lecz ponieważ czujemy się wobec niego bezradni. Ten świat otwiera się przed nami dopiero wówczas, gdy sami cierpimy, przykuci do szpitalnego łóżka przeżywamy ból i zmagamy się z nim, lub też gdy przychodzimy, aby współcierpieć z bliskimi.

Cierpienie fizyczne jest oznaką bezradności wobec przeżywanego bólu. Tym bardziej, że dojmujący ból spowodowany chorobą może być – i często jest – zwiastunem zbliżającej się śmierci. Cierpienie fizyczne stanowi jakieś ograniczenie życia. „Cierpienie jest ograniczeniem i częściowym zniszczeniem bytu empirycznego”[8] – pisał Karl Jaspers. Człowiek, doświadczając bólu, najchętniej zapomniałby o swoim ciele. Ale właśnie w cierpieniu jedność z własnym ciałem jest szczególnie mocno przeżywana. Cierpienie pozbawia człowieka możliwości oparcia się na czymś zewnętrznym. Ludzka świadomość jest zawsze świadomością czegoś. Zawsze myślimy o czymś, czegoś chcemy, do czegoś dążymy. Kierując się ku tym przedmiotom, odwracamy uwagę od siebie samych. Cierpienie natomiast powoduje, że nasza świadomość zwraca się ku nam samym. Właśnie wtedy, gdy tym

[8] K. Jaspers, *Sytuacje graniczne*, przeł. A. Staniewska i M. Skwieciński, w: R. Rudziński, *Jaspers*, Warszawa 1978, s. 212.

bardziej chciałoby się uciec od siebie w sferę marzeń, dążeń, aby zapomnieć o przeżywanym bólu – znikają wszystkie podpórki. Ludzkie istnienie, które kiedy indziej rozprasza się na różne doświadczenia i przedmioty, tutaj zostaje skupione na sobie samym. Nie ma wówczas nawet, pisze Paul Ricoeur, żadnego „więc", jak w słynnym stwierdzeniu Kartezjusza: „myślę więc jestem". Niemożliwe jest jakiekolwiek zapośredniczenie. Istnienie i cierpienie złączone są ze sobą bezpośrednio: „cierpię jestem". W cierpieniu fizycznym człowiek doświadcza swego istnienia do żywego[9].

Odmienne od cierpienia fizycznego jest cierpienie duchowe. Nie jest ono związane z bólem fizycznym, choć w swej bolesności może być o wiele bardziej dojmujące. Najczęściej spowodowane jest śmiercią ukochanych osób lub ich cierpieniem. Jeśli cierpieniu fizycznemu można ulżyć przez środki przeciwbólowe, to w cierpieniu duchowym ukazuje się szczególna bezradność człowieka. Ujawnia się ona w pokrzyżowaniu pragnień. Niczego innego bowiem nie pragniemy bardziej niż życia ukochanych i tego, by byli wolni od cierpienia. Ich śmierć staje w poprzek naszym pragnieniom, zwłaszcza kiedy poprzedzona jest długotrwałym cierpieniem. I właśnie wobec tego pokrzyżowania pragnień okazujemy się bezradni. Tym bardziej więc może nasilać się w nas cierpienie duchowe, im więcej mamy pragnień i im są one silniejsze. Kto pragnie dobra i sprawiedliwości, często cierpi z powodu istniejącego zła, nikczemności i złośliwości ludzkiej, niesłusznych oskarżeń, niesprawiedliwości społecznej, niesprawied-

[9] P. Ricoeur, *Filozofia osoby*, przeł. M. Frankiewicz, Kraków 1992, s. 56.

liwości losu, który często złych obdarza powodzeniem, a sprawiedliwych powala. Kto pragnie być zrozumiany, często cierpi z powodu braku zrozumienia u innych, a także rozmijania się dobrych intencji, które ma, z odmiennymi skutkami, które z tych intencji wynikają. Tego rodzaju cierpienie pogłębia się jeszcze bardziej, gdy te intencje wypływają z dobra i miłości, a powodują odwrotne skutki i wywołują jeszcze głębsze cierpienia u innych.

U podstaw cierpienia duchowego tkwi w gruncie rzeczy pokrzyżowanie jednego jedynego pragnienia. Jest nim pragnienie miłości. Nie cierpielibyśmy bowiem z powodu śmierci bliskich, gdybyśmy ich nie kochali. Nie cierpielibyśmy jedynie z powodu abstrakcyjnej zasady sprawiedliwości, gdyby nie chodziło nam przede wszystkim o oszukanego człowieka. Nie byłoby też w nas cierpienia wywołanego wskutek nieporozumień, gdyby nie zależało nam na tych, którzy nas nie zrozumieli. Dlatego duchowe cierpienie można określić jako ukrzyżowaną miłość.

Rozległa jest kraina cierpień duchowych. Są one mniej lub bardziej głębokie, dojmujące, czasami bywają nadmierne, powalające, szczególnie wówczas, gdy człowiek nie widzi wyjścia z danej sytuacji, gdy wydaje mu się, że cierpienia będą trwały aż do końca jego istnienia. „Są wypadki – pisał z kolei Nietzsche – kiedy współcierpienie jest silniejsze od właściwego cierpienia. Na przykład odczuwamy to boleśniej, kiedy który z naszych przyjaciół popełni coś hańbiącego, niż gdy sami to popełniamy”[10]. Podobne spostrzeżenie uczyniła Edith Stein: „Musimy nauczyć się także i to znosić, że ktoś dźwiga swój

---

[10] F. Nietzsche, *Ludzkie, arcyludzkie*, dz. cyt., s. 72.

krzyż, a my nie możemy mu ulżyć, co jest często trudniejsze niż cierpieć samemu"[11].

Głębia i nadmierność cierpienia zależy nie tylko od dających się określić przyczyn, ale także od wrażliwości danej osoby i jej pragnień. Są ludzie twardzi jak stal i są ludzie „szklani" – których opisał Nietzsche: „Nie wiecie wcale, co przeżywacie, biegniecie jak pijani przez życie i spadacie co pewien czas z jakichś schodów. Lecz, dzięki waszemu upojeniu, nie łamiecie jednak przy tem waszych członków: mięśnie wasze są zbyt mdłe, a głowa wasza zbyt ciemna, żebyście czuli, że kamienie tych schodów są tak twarde, jak to my inni czujemy! Dla nas jest życie większem niebezpieczeństwem: jesteśmy ze szkła – biada, jeśli się potrącimy! Wszystko zaś przepadło, jeśli upadniemy!"[12] Ludzie „szklani" albo „ludzie bez skóry" w szczególny sposób narażeni są na cierpienie. Jest to cena, jaką w swoim życiu płacą za miłość.

Cierpienie fizyczne, jeśli jest nadmierne, powoduje omdlenie lub śmierć. Z kolei nadmierne cierpienie duchowe prowadzi do przekroczenia stropu cierpienia[13]. Każdy człowiek ma taką swoją granicę, swój strop; gdy przekroczy tę granicę, gdy wzniesie się ponad ów strop, dodatkowe ciosy losu przyjmuje już obojętniej. Może nawet całkiem na nie zobojętnieć.

Istnieje więc cierpienie fizyczne, które wpisane jest w cielesną naturę człowieka. Istnieje też takie cierpienie duchowe, którego również nie sposób uniknąć. Ale ist-

---

[11] *Myśli Edyty Stein*, wybór M. Hoffman, Warszawa 1995, s. 81.
[12] F. Nietzsche, *Wiedza radosna*, dz. cyt., s. 187.
[13] Por. W. Tatarkiewicz, *O szczęściu*, dz. cyt., s. 146.

nieje ponadto wiele niepotrzebnego cierpienia duchowego, które ludzie zadają sobie nawzajem z powodu niemożności porozumienia się, nieumiejętności zapomnienia, przebaczenia, lęku wypływającego ze zbyt pobudzonej wyobraźni.

SKANDAL CIERPIENIA

Innym, obok bezradności, przejawem cierpienia jest jego skandaliczność i absurdalność. Cierpienie określamy jako zło, zło doznane. A to, co złe, nie powinno być. Jest, a jednak być nie powinno. Rodzi się zatem pytanie: dlaczego to, czego być nie powinno, istnieje? Po co istnieje? Czy cierpienie może zostać usprawiedliwione? Czy w horyzoncie ludzkiego rozumu możemy wskazać jakąś wartość, która pozwoliłaby zło cierpienia przemienić w dobro? Czy konkretne dobro, które czasami uznajemy za owoc cierpienia, nie mogłoby zrodzić się bez cierpienia? Formułując takie pytania, popadamy w pułapkę teodycei.

Pomimo absurdalności cierpienia i tajemnicy, jaka je otacza, człowiek usiłował doszukiwać się jego dobrych owoców. „Przekleństwem ciążącym dotąd nad ludzkością – pisał Nietzsche – była bezsensowność cierpienia, nie cierpienie”[14]. Sens cierpienia – próbowano dowodzić – nie tkwi w samym cierpieniu, ale w owocach, które ono rodzi. Teilhard de Chardin pisał do swojej siostry, porównując owoce swojego życia z owocami jej cierpienia: „Małgorzato, moja siostrzyczko! Kiedy ja, zafas-

[14] F. Nietzsche, *Z genealogii moralności*, dz. cyt., s. 197.

cynowany pozytywnymi siłami wszechświata, przebiegałem kontynenty, przepływałem morza, namiętnie obserwowałem barwy Ziemi, Ty, unieruchomiona w łóżku, spokojnie, w głębi swego wnętrza, najgorsze cienie świata przemieniałaś w światło. Powiedz, które z nas Stwórca uzna za to, co lepszą cząstkę obrało?"[15]. Jakie zatem mogą być owoce cierpienia?

Cierpienie uczy kochać. Jest próbą miłości Boga. Miłość jest bezinteresowna – i takiej właśnie bezinteresowności uczy cierpienie, które odbiera wszystko. „Być może podobna mądrość rysuje się w końcowej partii Księgi Hioba, gdzie – jak czytamy – Hiob zaczął miłować Boga z a n i c, przez co szatan przegrał swój początkowy zakład"[16] – pisał Ricoeur.

Cierpienie, choć często oddziela człowieka od innych i czyni go samotnym, może także łączyć ludzi między sobą. Ci, którzy cierpią, są bardziej wrażliwi na świat cierpienia i cierpienie innych. „Ci, którzy z własnego doświadczenia wiedzą, czym jest strach i cierpienie fizyczne, są sobie w całym świecie bliscy. Łączy ich tajemnica więzi. Wszyscy znają grozę, wobec której człowiek może się znaleźć, i wszyscy znają pragnienie, by być wolnym od bólu. Kto został wybawiony od bólu, nie ma prawa uznać, że oto znów jest wolny i że może beztrosko wrócić na swoje poprzednie miejsce w życiu. Zdobywszy wiedzę o bólu i strachu winien przyczyniać się do tego, by zwalczyć ból i strach o tyle, o ile tylko w ludzkiej mocy i nieść innym wybawienie, podobnie jak jemu niesio-

---

[15] P. Teilhard de Chardin, *O szczęściu, cierpieniu, miłości*, dz. cyt., s. 90.
[16] P. Ricoeur, *Zło*, przeł. E. Burska, Warszawa 1992, s. 38–39.

no"[17]. Tę więź Jan Patočka nazwał solidarnością wstrząśniętych[18]. Solidarność wstrząśniętych jest – obok oczyszczenia miłości – najgłębszym możliwym owocem, który może zrodzić cierpienie, i najgłębszą płynącą z niego nauką.

Cierpienie uczy także prawdy o życiu. Budzi człowieka z marzycielstwa. „Człowiek nawiedzony ciężkim cierpieniem – pisał Nietzsche – z przerażającym chłodem wyziera na rzeczy: znikają dlań wszystkie owe drobne, kłamliwe czarodziejstwa, w których zazwyczaj pławią się rzeczy, widziane okiem zdrowego: ba, nawet on sam traci opył i barwę. Dajmy na to, iż żył dotychczas w jakiemś niebezpiecznem marzycielstwie: to najwyższe otrzeźwienie bólu jest środkiem, by się zeń otrząsnął, i snadź środkiem jedynym"[19].

Cierpienie może także pomóc człowiekowi doznać, czym jest smak życia i na czym polega jego wartość. Prawda o zdrowiu częstokroć odsłania się człowiekowi dopiero w chorobie. „Oto fakt godny, doprawdy, szczególnej uwagi – zauważył William James – że cierpienia i ciężkie próby z reguły nie osłabiają miłości życia! Wydaje się, przeciwnie, że zazwyczaj dodają jej zapału"[20].

W cierpieniu człowiek może także dojrzewać do siebie samego. Cierpienie uczy wewnętrznej wolności, pozwala zdobyć świadomość siebie i doświadczyć własnych gra-

---

[17] A. Schweitzer, *Stosunek do ludzi krajów kolonialnych*, w: I. Lazari-Pawłowska, *Schweitzer*, dz. cyt., s. 240.

[18] J. Patočka, *Eseje heretyckie z filozofii historii*, dz. cyt., s. 68.

[19] F. Nietzsche, *Jutrzenka*, przeł. S. Wyrzykowski, Warszawa 1910, s. 117–118.

[20] W. James, *Prawo do wiary*, przeł. A. Grobler, Kraków 1996, s. 75.

nic, oczyszcza duszę i ułatwia jej oderwanie się od przywiązań, może skruszyć w człowieku zarozumiałość i pychę, a wreszcie – może poszerzyć horyzonty życia. „Cierpienie – pisał Tischner – jest podstawowym faktem ludzkim, a nawet czymś więcej – jest próbą człowieczeństwa człowieka, próbą jego wewnętrznej prawdy. Przechodzący przez tę próbę człowiek okazuje się takim, jakim jest. Jego maski opadają, traci sens wszelka gra”[21].

Jednak wszystkie te dobra, o których tu mowa, a które zdajemy się zawdzięczać cierpieniu, wypływają z niego nie tylko *post factum*, ale – chciałoby się powiedzieć – raczej p o m i m o cierpienia niż dzięki niemu. Chociaż więc można zrozumieć szlachetną intencję ukrytą w słowach Martina Bubera, jak i w innych podobnych „pobożnych” stwierdzeniach, to trudno zgodzić się z ich przesłaniem. „Ktoś – pisał Buber – kogo nawiedziła ciężka choroba, skarżył się rabbiemu Izraelowi, że cierpienie przeszkadza mu w nauce i w modlitwie. Rabbi położył mu rękę na ramieniu i rzekł: »A skąd wiesz, przyjacielu, co jest milsze Bogu: twoja nauka czy twoje cierpienie«”[22]. Czy Bogu może podobać się samo cierpienie? Czy Bóg pragnie cierpienia człowieka? Czy cierpienie jest dobre? Od pozytywnej odpowiedzi na te pytania blisko jest już do złudnego poczucia bycia ofiarą, wybranym do cierpienia.

Cierpienie jest tajemnicą, i to taką tajemnicą, której człowiek nie będzie nigdy w stanie zgłębić. Zgłębienie jej i zrozumienie nie leży bowiem w możliwościach ludzkiego rozumu. Cierpienie jest zawsze nie do pojęcia.

---

[21] J. Tischner, *Myślenie według wartości*, Kraków 1982, s. 307–308.

[22] M. Buber, *Opowieści chasydów*, przeł. P. Hertz, Poznań 1986, s. 211.

Można je co prawda usprawiedliwiać, aby się pocieszyć. Można jak Seneka pytać: „Dlaczego Bóg na najlepszych zsyła chorobę albo smutek, albo inne dolegliwości?". I odpowiadać: „Bo przecież i na wojnie niebezpieczne rozkazy otrzymują najdzielniejsi"[23]. Można jak Leibniz usprawiedliwiać cierpienie rzekomym dobrem, które z niego wypływa. „Co się zaś tyczy cierpień, zwłaszcza spadających na ludzi dobrych, to uważać należy za pewne, że wychodzą im one na większe dobro i jest to prawdziwe nie tylko teologicznie, ale i fizycznie, jak tego przykładem jest ziarno, które rzucone w ziemię cierpi, zanim plon wyda. A w ogóle można powiedzieć, że cierpienia, zrazu złe, okazują się dobre w skutkach, ponieważ stanowią krótszą drogę do doskonałości. Podobnie wśród rzeczy fizycznych te trunki, które fermentują powoli, później się również wyklarowują, te natomiast, które ulegają mocniejszej fermentacji, z większą siłą wyrzuciwszy na zewnątrz niepotrzebne składniki uszlachetniają się szybciej"[24]. Lecz tam, gdzie człowiek doświadcza powalającego bólu, który jest przejawem niszczącej go choroby bez jakiejkolwiek nadziei uzdrowienia, gdy patrzy na umierające w cierpieniu dziecko, na cierpienie matki, która straciła syna i do końca swoich dni nie potrafi tego zrozumieć ani się z tym pogodzić, musi zamilknąć wszelka teodycea. „Łatwo byłoby dorzucić kilka paragrafów do *Teodycei* Leibniza – pisał Bergson. – Lecz wcale nie mamy na to ochoty. Filozof może znajdować przyjemność

---

[23] L. A. Seneka, *Myśli*, dz. cyt., s. 43.

[24] G. W. Leibniz, *Wyznanie wiary filozofa*, przekład zbiorowy, Warszawa 1969, s. 240–241.

w spekulacjach tego rodzaju w ciszy swego gabinetu: lecz czy będzie spekulował, stojąc przed matką, która była właśnie świadkiem śmierci swego syna? O nie, cierpienie jest rzeczywistością straszną i czymś nieznośnym jest taki optymizm, który zło definiuje *a priori* jako mniejsze dobro..."[25]

Trudno głosić pochwałę cierpienia. Trudno także zgodzić się z tymi wszystkimi, którzy odróżniają cierpienie powalające, niszczące od cierpienia twórczego. Żadne cierpienie nie jest samo w sobie pozytywne ani twórcze. Pytanie o sens cierpienia nie znajduje zadowalającej odpowiedzi. Odpowiedź i pytanie nie schodzą się ze sobą w postać wiedzy, nie tworzą zamkniętego kręgu pewności. Pytanie o sens cierpienia może być raczej pojęte jako wyraz skargi, a nie poszukiwanie odpowiedzi. „Niekiedy, jak w wypadku Hioba – pisał Szestow – pytanie jest koniecznością: skąd pochodzi zło? Ale odpowiadać na to pytanie n i e w o l n o. I tylko wówczas, kiedy filozofowie zrozumieją, że ani na to pytanie, ani na wiele innych pytań o d p o w i a d a ć n i e w o l n o, uznają jednocześnie, iż nie zawsze stawia się pytania po to, by na nie odpowiadać, że są pytania, których cały sens na tym polega, że nie dopuszczają żadnych odpowiedzi, gdyż odpowiedzi je zabijają"[26].

Niepomna przestrogi Szestowa filozofia, i nie tylko ona, usiłowała dawać odpowiedzi na to pytanie, na które odpowiadać nie wolno. Czyniła to w różny sposób i za każdym razem z konieczności niewystarczająco. Odpowie-

---

[25] H. Bergson, *Dwa źródła moralności i religii*, dz. cyt., s. 254.
[26] L. Szestow, *Ateny i Jerozolima*, dz. cyt., s. 413.

dzi te są wyrazem ciągłego odradzania się teodycei, tym razem w nowej postaci. Stara postać teodycei została pogrzebana przez argumenty Immanuela Kanta, choć i po nim próbowano do niej powracać. Została pogrzebana pomimo racjonalnego pojednania, jakiego w świecie i jego dziejach szukał później Hegel, jeden z najlepiej poinformowanych co do ostatecznego celu świata i meandrów, jakimi dąży do nich Opatrzność. Nowa postać teodycei nie usiłuje już usprawiedliwiać Boga, lecz samo cierpienie – poprzez nadawanie mu sensu. Chciałbym zatrzymać się przy trzech sposobach usensownienia cierpienia, aby wykazać ich nieadekwatność. Dwa z nich to te, które usiłują odnaleźć sens cierpienia bądź to w samym cierpieniu, bądź poza nim. Trzeci to interpretacja cierpienia jako próby.

Simone Weil, chociaż wyrażała sprzeciw wobec nadawania cierpieniu jakiegokolwiek znaczenia („Cierpienie nic nie oznacza. To sama istota jego rzeczywistości. Trzeba pokochać go w jego rzeczywistości, którą jest nieobecność znaczenia”[27]), to jednak, jak się wydaje, dopatrywała się sensu cierpienia w samym cierpieniu. Co prawda, jakiekolwiek nadawanie znaczenia cierpieniu uznawała za rzucanie nań zasłony pociechy. Taką zasłoną było dla niej traktowanie cierpienia zarówno jako ofiary, jak i jako kary. Cierpienie nie jest do niczego przydatne. „Nie powinnam kochać mojego cierpienia dlatego, że jest przydatne, ale dlatego, że jest” – pisała[28]. Chciała w ten sposób uchronić cierpienie przed jakimkolwiek zafałszowaniem, by oca-

[27] S. Weil, *Świadomość nadprzyrodzona*, dz. cyt., s. 180.
[28] Tamże, s. 164.

lić jego czystość, pozostawić je takim, jakie jest. Ale to pozostawienie cierpienia samemu sobie nie jest wystarczające. Cierpienie jest doświadczeniem wyzywającym. Weil, jak sądzę, usensowniła je, dopatrując się dobra w samym cierpieniu. „Opuszczenie – pisała – w jakim zostawia nas Bóg, jest jego sposobem pieszczoty”[29]. I dalej: „W zamian za przywilej znalezienia się przed śmiercią w stanie doskonale podobnym do stanu Chrystusa, kiedy na krzyżu mówił: »Boże mój, czemuś mnie opuścił?« – w zamian za ten przywilej wyrzekłabym się chętnie wszystkiego, co nazywamy Rajem”[30]. Jak zatem nie uznać cierpienia za dobro, za dobro najwyższe, skoro wyraża ono nawet wyższość człowieka nad Bogiem? Dopiero Wcielenie spowodowało, że ta wyższość przestała być czymś gorszącym[31]. Weil doszła ostatecznie do idei pogodzenia się z cierpieniem. Tak przedstawiła swój program: „Mówić jak Iwan Karamazow: nic nie może wynagrodzić jednej jedynej łzy dziecka. A jednak godzić się na wszystkie łzy i na te niezliczone okropności, przewyższające jeszcze łzy. Godzić się nie dlatego, że być może są w jakiś sposób wynagradzane, ale dla nich samych”[32].

Początkowa teza Weil, by nie zafałszowywać cierpienia jakimkolwiek znaczeniem, wydaje mi się słuszna, gdyż zbliża nas do tego, co nazwę nieco później enigmą cierpienia. Trudno jednak – wziąwszy nawet poprawkę na paradoksy, w jakich Weil formułuje swe myśli – zgodzić się na stwierdzenie, że cierpienie jest szczególnym przy-

---

[29] S. Weil, *Wybór pism*, dz. cyt., s. 61.
[30] Tamże, s. 62.
[31] Por. S. Weil, *Świadomość nadprzyrodzona*, dz. cyt., s. 174.
[32] Tamże, s. 174.

wilejem ludzkiego życia, nie popadając w skrajny doloryzm. Jeśli Jezus dotknął na krzyżu samego dna ludzkiej egzystencji, to dlatego, że jak każdy kochający człowiek zapłacił cierpieniem za miłość. Jego cierpienie było także aktem solidarności ze wszystkimi cierpiącymi i nie znajdującymi odpowiedzi na pytanie o sens – ale nie pieczęcią je usprawiedliwiającą.

Victor Frankl sądził całkowicie odmiennie: że sensu cierpienia należy szukać poza nim samym. Cierpieniu można nadać sens tylko wówczas, gdy się je przekracza. „Aby cierpienie wypełnić intencją, trzeba je transcendować. Innymi słowy, moje cierpienie może mieć intencję i mogę cierpieć sensownie tylko wtedy, gdy cierpię za coś lub za kogoś. Toteż cierpienie, jeżeli ma mieć sens, nie może być celem samym w sobie, bo w tym samym momencie cała gotowość cierpienia i gotowość poświęcania się przemieniłaby się w masochizm. Cierpienie ma sens tylko wówczas, gdy chodzi o coś. Akceptując cierpienie, wypełniamy intencją nie tylko samo cierpienie, ale poprzez cierpienie jeszcze coś, co nie jest z nim identyczne"[33].O co zatem może chodzić w cierpieniu? Co takiego przeziera przez cierpienie, dzięki czemu może ono nabrać sensu? Frankl enigmatycznie stwierdził, że tym czymś jest ofiara. Rzecz wydaje się oczywista, gdy na przykład matka wybiera cierpienie i śmierć, by ratować życie dziecka. Jest to najwyższa cena, jaką płaci ona za miłość. Ta ofiara matki w żaden jednak sposób nie tępi ostrza cierpienia, nie nadaje mu sensu, lecz wręcz odwrotnie – jesz-

[33] V. E. Frankl, *Homo patiens*, przeł. R. Czernecki i J. Morawski, Warszawa 1984, s. 79.

cze bardziej eksponuje jego zło. O jakiej jednak ofierze mamy mówić wtedy, gdy matka patrzy na cierpienie i uczestniczy w cierpieniu swojego dziecka, które ani nie potrafi żyć, ani nie może umrzeć? Frankl, mówiąc o ofierze, podał przykład pacjenta niemogącego podźwignąć się z głębokiej melancholii po śmierci żony, z którą przeżył bardzo szczęśliwe życie. By wykazać mu, że jego cierpienie nie jest pozbawione sensu ofiary, kazał mu sobie wyobrazić, że to on zmarł i pozostawił przy życiu cierpiącą żonę. Czyż nie wolałby w takiej sytuacji raczej sam umrzeć? Takie jednak wyjaśnienie sensu cierpienia jest całkowicie pozorne. Stanowi być może jakiś rodzaj psychologicznego wybiegu dla tych, którzy takich wybiegów potrzebują. Dlaczegóż bowiem taka alternatywa – między śmiercią żony a śmiercią własną – musi w ogóle wchodzić w rachubę, skoro tyle, często nieszczęśliwych małżeństw, dożywa długich dni? Kto zatem urządził świat w ten sposób, że niechciane dzieci rodzą się zdrowe, a kochane umierają w bólu; że źli ludzie żyją, a dobrzy odchodzą przedwcześnie? Takich pytań można stawiać wiele, a wszystkie one wskazują na to, że przez cierpienie nie przeziera nic takiego, co mogłoby mu nadać wystarczający sens i je usprawiedliwić.

Trzecią, bardzo subtelną próbą usensownienia cierpienia jest interpretowanie go jako próby wiary, miłości czy też wolności. Takie wydaje się być podstawowe przesłanie Księgi Hioba, która opisuje próbę, jakiej Bóg zgodził się poddać Hioba, swego wiernego sługę: „Czyż za darmo Hiob czci Boga?" (Hi 1,9). Księga Hioba fascynowała wielu filozofów (m.in. Kanta, Kierkegaarda, Szestowa, Wusta, Junga, Lévinasa, Girarda). Spośród rozlicznych komentarzy i uwag do tragedii Hioba chciałbym zatrzymać się przy trzech: Rosenzweiga, Ricoeura i Philipa Nemo.

Wybór Boga w wolności. Dla Franza Rosenzweiga zło i cierpienie wypełniające świat, pokrzyżowane ludzkie losy stanowią przedmiot możliwego wzajemnego kuszenia człowieka i Boga. Według żydowskiego filozofa Bóg nie tylko nie czyni jakichś wyjątkowych znaków, ale wręcz dopuszcza zło, a nawet „miesza ludzkie losy", pozostając jednocześnie w ukryciu. Tylko na takiej scenie i jedynie w ten sposób może oddzielić dusze ludzi wolnych od niewolników, tych, którzy wybiorą Go w wolności, od tych, którzy szukają w życiu jedynie pewności i korzyści, nawet jeśli jest to pewność i korzyść dotycząca zbawienia. „I w ten sposób nic Mu innego nie pozostało: musi kusić człowieka; nie tylko musi skrywać przed nim swe rządy; nie, musi go co do nich zwodzić; musi utrudnić człowiekowi dostrzeżenie ich, a nawet mu to uniemożliwić, aby miał on możliwość prawdziwie, a więc w wolności, wierzyć Mu i ufać. I na odwrót, także człowiek musi liczyć się z tą możliwością, że Bóg go jedynie kusi, aby w każdym razie miał pobudkę, by wystrzegać się wszelkich pokus kwestionujących jego zaufanie i nie słuchał nieśmiertelnego głosu żony Hioba, która powiedziała: »Złorzecz Bogu i umieraj«"[34].

Umiłowanie Boga za nic. Paul Ricoeur przypomina z kolei, że Księga Hioba rozbija cały system myślowy zmierzający do uzasadnienia cierpienia jako cze-

---

[34] F. Rosenzweig, *Gwiazda Zbawienia*, dz. cyt., s. 425.

goś mającego wartość kary. Doznanego zła nie da się sprowadzić do zła popełnionego. Nie ma żadnego racjonalnego przejścia między złem doznanym a ewentualnym złem uczynionym. Hiob jest ofiarą, ale nie winnym[35]. „Figura Hioba – pisze – świadczy o nieredukowalności zła zawartego w zgorszeniu do zła zawartego w przewinie"[36]. Jaki jest zatem sens całej próby, której został poddany Hiob? „Kochać Boga za nic..."[37]

Czekanie na Dobro. Także Philip Nemo w książce *Job et l'exces du mal* pochyla się nad cierpieniem Hioba. Na czym polega jednak sens samego cierpienia? Nemo, by opisać ból, zatrzymuje swoją uwage na trwodze, traktując ją jako samą istotę bólu. Idąc za Heideggerem, interpretuje trwogę jako odsłonę nicości, jako doświadczenie faktyczności świata, który się wymyka, pozostawiając człowieka samotnym i zamkniętym na słowa pocieszenia. Słowa takie należą bowiem do pozostałości świata już rozbitego. Właściwą i najgłębszą różnicą nie jest jednak, jak sądził Heidegger, różnica ontologiczna między bytem i byciem, lecz – między dobrem i złem. Sens pojawia się w relacji duszy z Bogiem, relacji, której punktem wyjścia jest przebudzenie przez ból. Bóg zadaje ból, aby wyrwać człowieka ze świata jako byt jedyny i wyjątkowy. Cierpienie jest bowiem zawsze nadmiernym złem. A to, co nadmierne, rozsadza ramy świata i oznacza niemożność pogodzenia się. Dlatego doświadczenie zła cierpienia jest zarazem oczekiwaniem Dobra.

---

[35] P. Ricoeur, *Filozofia osoby*, dz. cyt., s. 62.

[36] P. Ricoeur, *Symbolika zła*, przeł. S. Cichowicz, M. Ochab, Warszawa 1986, s. 297.

[37] P. Ricoeur, *Zło*, dz. cyt., s. 38–39.

Nietrudno w tych interpretacjach cierpienia jako próby dopatrzyć się wspólnych wątków. Cierpienie jest złem – ale czy rzeczywiście, skoro stwarza możliwość, by Hiob wybrał Boga w wolności, ukochał Go za nic, przebudził się i osiągnął świadomość potrzeby oczekiwania na Dobro? Cierpienie jest próbą. Zapytajmy jednak – za jaką cenę? Istnieje pewien sekretny problem, o którym komentatorzy Księgi Hioba raczej milczą. Hiob nie tylko traci cały majątek i sam cierpi. Przede wszystkim traci wszystkie swoje dzieci. Czy zgoda Boga na próbę, czy stworzenie takich przychylnych okoliczności, w których może zrodzić się autentyczna wolność, miłość i oczekiwanie Dobra, wystarczy, by usprawiedliwić śmierć dzieci Hioba, wpisaną w strukturę próby? Czy Bóg może chcieć, aby człowiek wybrał Go w wolności, pokochał za nic i oczekiwał jako Dobra za cenę cierpienia innych, szczególnie tych najbardziej ukochanych? Czy cierpienie może czemukolwiek służyć? Samo to pytanie wydaje się już zawierać w sobie odpowiedź. Dlatego najcelniejsze wydaje mi się stwierdzenie Kanta, który rozprawiwszy się z podstawowymi racjonalnymi sposobami obrony Boga przed odpowiedzialnością za zło świata, komentując w dalszym ciagu historię Hioba, napisał: „Albowiem Bóg uznał go godnym, aby mu okazać swą mądrość stwórczą, przede wszystkim od strony jej niezbadaności”[38].

[38] I. Kant, *O niepowodzeniu wszelkich prób filozoficznych w przedmiocie teodycei*, w: T. Kroński, *Kant*, Warszawa 1996, s. 207.

ENIGMA CIERPIENIA

Cierpienie nie może być dobre ani samo w sobie, ani ze względu na jakąkolwiek wartość wobec niego zewnętrzną. Dlatego słusznie pytał Lévinas: „Czy zresztą wszelka próba teodycei nie świadczy o tym, że myślimy o Bogu jako o rzeczywistości należącej do świata?”[39]. Czy zatem cierpienie jest złem? Tak, właśnie w ten sposób można by najprościej odpowiedzieć na to pytanie, gdyby nie dwie podstawowe przeszkody. Cierpienie nie może być złem, skoro jest ceną, jaką człowiek płaci za miłość. Czyż zło mogłoby być warunkiem miłości? A przecież ci, którzy kochają, cierpią najbardziej. Po wtóre, gdyby przyjąć, że cierpienie jest złem, to należałoby stwierdzić, że jest ono absolutem, którego żadna wartość nigdy nie będzie mogła usprawiedliwić. Jak bowiem wyobrazić sobie to, że wszechmogący, dobry i kochający Bóg „nie może” zbawić człowieka inaczej jak poprzez cierpienie? Tym bardziej poprzez cierpienie z powodu cierpienia najbardziej ukochanych i bliskich? A zatem religijne zbawienie można by pomyśleć jako wyzwolenie od cierpienia, ale nie jako jego usprawiedliwienie. Stanęlibyśmy więc przed pytaniem: co takiego musiało się zdarzyć, skoro obok dobrego i kochającego Boga pojawił się jakiś inny absolut, który nie może zostać usprawiedliwiony? Jeśli cierpienie nie jest zatem ani dobrem, ani złem, to czym ono jest? Jest enigmą, czymś poza dobrem i złem.

Enigma, albo ślad, to pojęcie, które zawdzięczam Lévinasowi. Czym jest ślad dla Lévinasa? Aby lepiej zrozu-

---

[39] E. Lévinas, *O Bogu, który nawiedza myśl*, dz. cyt., s. 205–206.

mieć to ważne dla niego pojęcie, odwołajmy się do teorii idei i jej odbicia u św. Augustyna. Według Augustyna idee znajdują się w umyśle Boga, a w ludzkim umyśle istnieją jedynie ich niedoskonałe odbicia (obrazy). Relacja między ideami a odbiciami podobna jest do tej, która zachodzi między wzorem herbu wyrytego na sygnecie a jego odbiciem w laku bądź w wosku, którymi pieczętowano listy. Choć odbicie nie jest doskonałe, to właśnie ono wskazuje na wzór herbu. Podobnie odbicia idei w naszym umyśle nie tylko wskazują na same idee, ale i do nich prowadzą. Taką ideą jest na przykład idea prawdy. Czysta i niezmącona prawda znajduje się jedynie w Bogu. Ludzki umysł posiada ją jedynie częściowo, w sposób niepełny i niedoskonały. Jednak od tego, co częściowe, niepełne i niedoskonałe, prowadzi droga „w górę", ku temu, co całkowite, pełne i doskonałe. Według Lévinasa ślad jest i jednocześnie nie jest takim odbiciem. Jest bowiem odbiciem, które zostało zatarte. To tak, jakby ktoś przeszedł i zatarł za sobą swe ślady. Pozostawione ślady dają nam do myślenia, budzą pytania, rodzą w nas niepokój, ale nie dają możliwości, by odpowiedzieć choćby na elementarne pytanie: kto przeszedł? Od śladu nie prowadzi już żadna droga „wzwyż", taka droga, która zamknęłaby krąg rozpoczynający się pytaniem, a kończący odpowiedzią. Między pytaniem a odpowiedzią pojawia się enigma, która nie pozwala im się w racjonalny sposób spotkać. Lévinas zastosował pojęcie śladu do przedstawienia idei nieskończoności, która zawarta jest w ludzkim umyśle, ale jednocześnie „rozsadza" umysł. Ta idea nas niepokoi, wręcz prześladuje, ale ponieważ jest w nas obecna na sposób zatartego śladu, nie prowadzi od niej żadna droga do

Nieskończonego, choćby w postaci racjonalnych dowodów na Jego istnienie.

To pojęcie enigmy, śladu, stanowi kategorię, która, jak sądzę, najlepiej opisuje sens cierpienia. Cierpienie jest enigmą. Budzi ono naszą wrażliwość, uświadamia nam to, czego jest ceną, ale jednocześnie nie pozwala nam znaleźć jakiegokolwiek miejsca spoczynku, czy też pewności w świecie opisanym przez rozum. Od śladu-enigmy cierpienia nie prowadzi żadna racjonalna droga do tego, kto pozostawił ślad. Nie wiadomo, kto i dlaczego go pozostawił. Czy cierpienie jest dobrem? Jakże cierpienie może być dobrem?! Czy cierpienie jest złem? Jakże może być złem, skoro jest ceną miłości?! Czy cierpienie jest karą, ofiarą? Czym jeszcze może być? Jeśli ta droga nie prowadzi do tego, kto pozostawił ślad, to dokąd w ogóle ona prowadzi? Lévinas sądził, i miał chyba rację, że ślad prowadzi do innych. Należałoby zatem dodać: do tych, którzy cierpią podobnie jak my. Powtórzmy: cierpienie, choć oddziela człowieka od innych i czyni go samotnym, łączy ludzi ze sobą. Łączy ich tak, jak łączy miłość.

Jednak bez względu na to, czy ktoś odnajduje w cierpieniu sens, czy też go nie odnajduje (a wręcz samo poszukiwanie go uważa za beznadziejne), każdy musi uczynić coś z cierpieniem, którego doświadcza. „Jeśli rozejrzymy się w historii – pisał Scheler – to zauważymy wiele sposobów zachowania się wobec cierpienia. Dostrzegamy drogę uprzedmiotowienia cierpienia i rezygnacji, względnie aktywnego znoszenia go; drogę hedonistycznej ucieczki przed cierpieniem; drogę przytępienia cierpienia aż do zupełnej apatii; drogę tłumaczenia cierpienia oraz jego iluzjonistycznej negacji; drogę usprawiedliwienia wszelkiego cierpienia – jako kary; wreszcie drogę najwspanialszą i najbardziej z wszystkich powikłaną, ukazaną w chrześcijańskiej nauce o cierpieniu: drogę błogiego cierpienia i dokonującego się w cierpieniu wyzwolenia od niego dzięki miłosiernej miłości Boga, »królewską drogę krzyża«"[40].

Te różne postawy wobec cierpienia – od rezygnacji i rozpaczy począwszy, poprzez stoickie pogodzenie się, bezwolną akceptację, apatię, i dalej krzyżową drogę jedności z cierpiącym Bogiem aż do heroicznego usiłowania przezwyciężania cierpienia – wynikają także w dużej mierze z nadziei, jaką człowiek wiąże z własnym życiem. Kto pragnie żyć, kochać, dokonać jeszcze czegoś, kto widzi jakieś perspektywy, ten potrafi zdobyć się na wysiłek i znieść cierpienie, nawet wówczas, gdy nie dostrzega jego sensu. Potrafić cierpieć – znaczy bowiem – wytrzymać. W tym, co powalające, bierne, umieć zdobyć się na wysiłek aktywności, czy to myślenia, pisania, troski o innych, czy może tylko godnego znoszenia tej sytuacji.

To jednak, co ostatecznie rozstrzyga o sposobie, w jaki człowiek radzi sobie ze swoim cierpieniem, jest także głęboką tajemnicą. Pewne światło na tę tajemnicę rzuca jedynie ciekawa metafora Nietzschego, porównująca dwa zasadnicze nastawienia ludzi do cierpienia z żeglarzem, który na widok zbliżającej się burzy albo jeszcze bardziej napina żagle i z całych sił pragnie walczyć z żywiołem, albo też szybko je zwija i opuszcza[41]. Są ludzie, którzy usiłują przepłynąć morze cierpienia na rozpostartych ża-

[40] M. Scheler, *Cierpienie, śmierć, dalsze życie*, dz. cyt., s. 30–31.
[41] Por. F. Nietzsche, *Wiedza radosna*, dz. cyt., s. 258.

glach, na oczach innych, i są tacy, którzy w cierpieniu zamykają się w sobie.

Zapytajmy na koniec, czy cierpienie może być drogą do Boga. Niewykluczone, że może być drogą, ale z pewnością nie drogą człowieka do Boga, bo taki Bóg byłby tylko częścią ludzkiego świata rozbitego już przez cierpienie, częścią nieprzystającą w żaden sposób do tego, co rozbite, „plastrem na ludzkie niedostatki", jak pisał ironicznie Gombrowicz. Cierpienie może być natomiast drogą Boga do człowieka. Jeśli jest więc możliwa jakaś teodycea, to nie ta, która od skandalu cierpienia prowadzi do jakiegoś usprawiedliwiającego je dobra, ale odwrotnie – taka, która od Dobra wiedzie do skandalu cierpienia. Teodycea, która nie jest inicjatywą rozumu.

Sens cierpienia, jeśli w ogóle istnieje, może odsłonić się tylko w perspektywie przeżywania cierpienia – i to w perspektywie wyłącznie indywidualnej. Dlatego do cudzego cierpienia trzeba podchodzić z największą ostrożnością. Nie można usprawiedliwiać go przez sens, który może ono zrodzić, gdyż nie wiemy zawczasu, czy w tym konkretnym przypadku rzeczywiście zrodzi ono taki sens. Właśnie tu najłatwiej wpaść w pułapkę doloryzmu czy moralizmu. Droga, na której człowiek usiłuje odkryć sens swego cierpienia, „jest to szlak, który – jak pisze Ricoeur – można wybrać dla siebie samego, lecz nie jest to droga, której można uczyć"[42]. Można ją innym opowiedzieć – ale tylko opowiedzieć. Sens tej opowieści musi cierpiący człowiek odkryć samodzielnie. Trudno nawet go pocieszać, że także jego cierpienie będzie miało kiedyś taki lub

---

[42] P. Ricoeur, *Filozofia osoby*, dz. cyt., s. 62.

podobny sens. „Pocieszanie ma swe granice, gdzie nie wystarczą wszelkie słowa, tam zbędne jest każde słowo”[43].

Czy cierpienie ma zatem jakiś niezamknięty, ale właśnie otwarty sens? Odpowiedź na to pytanie kryje się ostatecznie w horyzoncie enigmy cierpienia. Całkowita niepewność ludzkiej wiedzy jest bowiem tylko odzwierciedleniem niepewności ludzkiej kondycji.

---

[43] V. E. Frankl, *Homo patiens*, dz. cyt., s. 127.

WDZIĘCZNOŚĆ

Wdzięczność i gotowość. Otrzymałeś wszystko – za nic. Nie wahaj się, gdy trzeba dać to, co przecież jest niczym – za wszystko[1].

Sokrates zaliczył ją do niepisanych praw, które obowiązują wszystkich wobec bogów. Hipokrates nazwał ją w swym języku ojczystym *eucharistia*. Wdzięczność, jedna z piękniejszych cnót, która posiadającym ją dodaje wdzięku. Cyceron, pisząc w *De officiis* o obowiązku wdzięczności: *nullum enim officium referende gratia magis necessarium est*[2], użył określenia *gratia*, które oznacza przychylność, łaskę, radość, wdzięczność i wskazuje na inne słowo: *gratuitus*, czyli bezpłatny.

Bardzo daleko nam do tego rozumienia wdzięczności, które było bliskie Hipokratesowi i Cyceronowi, kiedy myślimy o niej tak, jak myśli się powszechnie. Przychodzą nam wówczas na myśl negatywne (choć dla niektórych być może pozytywne) skojarzenia związane z umiejętnością tak zwanego „radzenia sobie" w codziennym życiu. Ludzie wciąż załatwiają różne sprawy, obiecując tym, u których szukają poparcia, swoją wdzięczność. A mają na myśli łapówkę, materialną gratyfikację czy też

---

[1] D. Hammarskjöld, *Drogowskazy*, przeł. ks. J. Zieja, Kraków 1967.

[2] „Nie ma bowiem bardziej koniecznego obowiązku niż odwdzięczenie się"; Cyceron, *De officiis*, I, 15, 47.

zwyczajną odpłatę w formie własnych znajomości, którymi gotowi są służyć swoim „dobroczyńcom". Mówią wówczas: „potrafię być wdzięczny", „umiem się odwdzięczyć". Wdzięczność zostaje w ten sposób sprowadzona na poziom ekonomicznej rachunkowości i pojawia się zarówno po stronie „winien", gdy myślimy o tych, którym coś jesteśmy dłużni, jak i „ma", gdy z kolei rachujemy długi naszych dłużników.

Czasami rodzice skarżą się na niewdzięczność swoich dzieci. „Poświęciliśmy im wiele sił i troski, nieprzespanych nocy – mówią. – Ofiarowaliśmy im wiele, a dzisiaj zostaliśmy opuszczeni. Cóż za czarna niewdzięczność". Taka skarga jest często skutkiem, choć oczywiście nie zawsze, traktowania dzieci jak bankowego konta, w które wkłada się oszczędności, by na starość móc żyć z odsetek. Tymczasem konto okazuje się puste. Ten, kto ofiarowuje coś innym, licząc na odpłatę, może się szybko rozczarować. Dobroczyńca nie powinien liczyć na żadną wdzięczność, a wręcz nawet jej nie pragnąć. Wdzięczność nie pozostaje bowiem w takim stosunku do daru jak księgowe konta: „winien" i „ma". Dobroczyńca, który liczy na wdzięczność, przestaje być bezinteresowny. A dar jest zawsze bezinteresowny. Inaczej nie jest już darem. Podobnie też bezinteresowną jest odpowiedź na dar, czyli wdzięczność. Dar i wdzięczność nie spotykają się więc ze sobą tak, jak dług i jego spłata.

By „zasłużyć" na wdzięczność, nie należy tylko obdarowywać, ale kochać. Dar bez miłości staje się właśnie ekonomiczną inwestycją. „Jeśli chcesz zasłużyć na wdzięczność obligowanych, powinieneś nie tylko obdarowywać ich dobrodziejstwami, ale także kochać"[3] – pisał Seneka. W jednym tylko trudno zgodzić się z wybitnym myślicielem: na wdzięczność się nie zasługuje. Wdzięczność jest także darmowym, bezinteresownym darem. Trzeba się radować, gdy dobroczyńcę spotyka prawdziwa wdzięczność, ale nie należy być rozczarowanym, gdy tej wdzięczności zabraknie.

Choć na wdzięczność się nie zasługuje, to istnieją jednak pewne sytuacje życiowe, czy też międzyludzkie relacje, które ze swojej natury wydają się domagać wdzięczności. Myślimy na przykład o stosunku dzieci do rodziców, uczniów do wychowawców czy pacjentów do lekarzy. Nie znaczy to oczywiście, że wszyscy rodzice, nauczyciele i lekarze – i w równym stopniu – zasługują na wdzięczność. Niemniej jednak właśnie tu wdzięczność jest oczekiwana i spodziewana. I także w podobnych sytuacjach mówimy o „obowiązku" wdzięczności. Dzieci powinny być wdzięczne rodzicom, uczniowie wychowawcom, pacjenci swoim lekarzom. Jednak tak, jak nie można mieć pretensji, że się zasłużyło na wdzięczność, a nie otrzymuje się jej, tak też nie ma przymusu wdzięczności. Czym innym bowiem jest obowiązek troski o zdrowie rodziców i o ich warunki życia, a czym innym wdzięczność, która jest jednym z najbardziej dobrowolnych darów.

Wdzięczność jest pewną odmianą miłości – przychylnością, łaskawością wobec tych, którzy uczynili nam coś dobrego, a nie musieli wcale tego uczynić, którzy nie mając takiego obowiązku, bezinteresownie wyciągnęli do nas rękę, udzielili pomocy. Powinniśmy być im wdzięczni nie dlatego, by znowu móc liczyć na ich przychylność,

---

[3] L. A. Seneka, *Myśli*, dz. cyt., s. 265.

niewiele tej wdzięczności w istocie okazałem owym ludziom, gdy byłem młody. Wielu z nich rozstało się z życiem, zanim zdołałem wyrazić, jakie znaczenie miała dla mnie okazana mi przez nich dobroć i wyrozumiałość. Nieraz nad grobami głęboko poruszony wypowiadałem w duszy słowa, które moje usta niegdyś winny były przekazać żywym (...).

Biorąc pod uwagę swoje własne przeżycia, nie sądzę, by w świecie było tak wiele niewdzięczności, jak się zazwyczaj twierdzi. Nigdy nie mogłem przyjąć takiej interpretacji opowieści o dziesięciu trędowatych, zgodnie z którą tylko jeden z nich poczuwał się do wdzięczności. Sądzę, że wdzięczni byli wszyscy. Ale dziewięciu z nich udało się najpierw do domu, by szybko pozdrowić bliskich i rozejrzeć się w swoich sprawach, odkładając na potem pójście do Jezusa z podziękowaniem. Nie doszło do tego, gdyż sprawy domowe zatrzymały ich, a w tym czasie Jezus zmarł. Jeden natomiast miał dar kierowania się bezpośrednim odczuciem. Odszukał więc zaraz tego, który mu pomógł i swoją wdzięcznością dodał mu otuchy.

Wszyscy winniśmy się starać o bezpośredniość, o to, by wdzięczność nieokazywana stała się okazywaną. Wtedy będzie więcej w świecie słońca i więcej energii, aby czynić dobro"[10].

---

[10] A. Schweitzer, *Człowiek wobec człowieka*, dz. cyt., s. 75–76.

UMIERANIE

> Większość ludzi żyje, aby zarobić na utrzymanie; jeśli na takie już zarobili, żyją, aby zarobić na lepsze utrzymanie, a kiedy już to osiągnęli – wtedy umierają[1].

Jedna z rabinicznych opowieści opisuje początek stworzenia przedstawiony w Torze. Pierwszym słowem Tory jest *Bereszit* – „Na początku..." („Na początku Bóg stworzył niebo i ziemię"), a pierwszą literą „Beth", która zamknięta jest od prawej strony, czyli od tej, od której zaczyna się czytać w języku hebrajskim, natomiast otwarta na lewo, w kierunku, w którym kontynuuje się lekturę (Tora, w stosunku do klasycznych dzieł, rozpoczyna się na stronie ostatniej i czyta się ją od prawej ku lewej). Nam ludziom dostępne jest zatem to, co następuje po początku, czyli po stworzeniu. Co jednak działo się przed początkiem? Lub – ujmując to inaczej – co z literą „Aleph", pierwszą literą alfabetu? Nie możemy cofnąć się do niej, gdyż nie możemy przeniknąć poza początek. Czytania od lewej ku prawej stronie zabraniają reguły hebrajskiego języka. To, co przed „Beth", przed początkiem, pozostaje dla nas tajemnicą, dopóki żyjemy. Możemy jedynie poruszać się w lewo, od początku. Ku czemu jednak? Ku kresowi, ku śmierci. Lecz także to, co poza kresem, poza śmiercią nie jest

---

[1] S. Kierkegaard, *Albo – albo*, dz. cyt., t. II, s. 381.

nam znane. Nie wiemy, co jest poza śmiercią, ponieważ nie możemy cofnąć się przed początek.

Ta sama opowieść opisuje protest litery „Aleph", spowodowany tym, iż nie została wybrana, aby rozpocząć historię o stworzeniu, chociaż to ona właśnie jest pierwszą w alfabecie. Bóg miał jej tak odpowiedzieć: „Kiedy pójdę nadać Prawo na Synaju, zacznę właśnie tobą". I rzeczywiście powiedział wówczas: „Jam jest Pan, Bóg Twój". Bóg spełnił swą obietnicę, gdyż „Ja" – *Anochi* zaczyna się od „Aleph".

Nie możemy cofnąć się przed początek życia. Nie możemy przeniknąć poza jego kres. Między początkiem i kresem pozostaje nam jednak obietnica przymierza.

Rosenzweig, komentując początkowe wersy Tory, zwrócił uwagę, że w całym rozdziale poświęconym stworzeniu, powraca jedno słowo: „dobre". „I widział Bóg, że było dobre". Słowo to zamyka każdy dzień stworzenia. Kiedy jednak Bóg po raz ostatni spojrzał na to, co stworzył, rzekł: „bardzo dobre". Dlaczego właśnie wtedy, na końcu powiedział: „bardzo dobre"? Co jest „bardzo dobre"? Rosenzweig tak skomentował te słowa: „W ogólnym »Tak« Stworzenia, dźwigającym na swych szerokich barkach wszystkie jednostkowe byty, oddziela się obszar, który zostaje potwierdzony inaczej, jako »bardzo«, a więc odmiennie niż wszystko inne; coś w Stworzeniu, co wskazuje jednak poza Stworzenie. Tym »bardzo«, które w samym Stworzeniu ogłasza Nadstworzenie, w tym, co ziemskie, Nad-ziemskie, tym czymś innym niż życie, które przynależy jednak do życia i tylko do życia, tym czymś, co zostało stworzone wraz z życiem jako jego ostateczność, a jednak daje życiu przeczuć spełnienie dopiero poza nim samym: tym czymś jest śmierć. Stworzona śmierć stworzenia jest znakiem zapowiadającym Objawienie życia nad-stworzonego. Śmierć, która dla każdej stworzonej rzeczy jest właściwym spełnieniem całej jej rzeczowości, spycha niedostrzegalnie Stworzenie w przeszłość i czyni je milczącą, trwałą zapowiedzią cudu własnej odnowy. Dlatego szóstego dnia Stworzenia nie powiedział Bóg, że było »dobre«, lecz: »bardzo dobre«! »Bardzo dobre«, tak uczą nasi starcy, bardzo dobra jest śmierć"[2].

Chciałoby się wierzyć Rosenzweigowi, że śmierć jest „bardzo dobra". Co innego jednak mówi nam nasze ludzkie doświadczenie. Na owym „bardzo dobre" kładzie się cień. Doświadczenie uczy nas tego samego, co konkluzja przypowieści opowiadającej o pewnym człowieku, który mając poważne wątpliwości co do swego zbawienia, zapytał o to anioła podczas wieczornej modlitwy. Anioł odrzekł, że on także nie wie, ale może pofrunąć do nieba i zapytać. Poproszony o to, pofrunął i wrócił po chwili, stwierdzając: „Mam dla ciebie dwie wiadomości, radosną i smutną. Od której zacząć?". „Od radosnej proszę" – odrzekł ów człowiek. „Będziesz zbawiony" – powiedział anioł. „A smutna?" „Niestety jutro rano".

Pomimo wiary w ciągłość życia po śmierci, nadziei na zmartwychwstanie i na to, że niebo nie jest puste, skoro jest jedyną możliwością spotkania bliskich, których nie ma już pośród nas – to, co poprzedza początek i co jest poza śmiercią, stanowi nieprzekraczalną granicę i napawa nas prawdziwie ludzkim niepokojem i obawą. Spoza

---

[2] F. Rosenzweig, *Gwiazda Zbawienia*, dz. cyt., s. 266.

początku, spoza „tamtej strony" pada cień, który pozostawili nasi najbliżsi, odchodząc.

Śmierci doświadczamy najpierw poprzez śmierć bliskich. Po ich śmierci uderza nas niedająca się niczym zapełnić pustka. Wyłania się ona z przepaści między dwiema pełniami: pełnią obecności bliskiej osoby, której już „nie ma", i pełnią rzeczy i znaków, które przemawiają tak, jakby ona wciąż była. Początkowo nie dostrzegamy tej pustki. Otwieramy szafę i obok naszych ubrań widzimy ubrania bliskiego, jakby miał za chwilę wrócić i wyjść z nami na spacer. Znów kroimy kilka kromek chleba za dużo, jakbyśmy mieli nie sami jeść kolację. Potykamy się o zabawki dziecka, jakby miało ono sięgnąć po nie i znów wypełnić pokój radosnym głosem. Obecna nieobecność. Z czasem usuwamy ubrania z szafy, nie kroimy już za dużo chleba, zabawki chowamy głęboko, by nie kłuły nas w oczy. Pustka staje się wyraźniejsza, choć może nie jest już tak boleśnie odczuwana.

Tak przedstawił to doświadczenie Roman Brandstaetter po śmierci swojej żony:

> Uczyniłeś mnie samotnym,
> Panie.
>
> Chodzę po pustych pokojach.
> Po czarnych pokojach.
>
> A może otworzą się drzwi
> I wejdzie
> I powie:
>
> – Przyszłam do ciebie,
> Aby pomówić o wszystkim i o niczym (...)

Panie,
Otwórz te drzwi,
I niech mi się zdaje,
Że ona za chwilę wejdzie do pokoju.
A potem włączy adapter.
I niech zobaczę,
Jak siedzi w fotelu i słucha preludiów Chopina,
I mówi:
– Jakie to piękne... jakie piękne...

Chodzę po pustych pokojach,
Po czarnych pokojach,
A za mną wlecze się pustka,
Którą mnie pokarałeś
W niezbadanych wyrokach.

Co to jest radość,
Panie?

Zgrzyt klucza w zamku
I nagła myśl:
Ona wraca do domu.

Jej filiżanka na stole.
Jej fotel.
Jej spojrzenie.
Jej bezszelestne stąpanie.
Jej pochylenie głowy nad książką.

A teraz?
Pozostawiłeś mi, Panie,
Tylko
Łzy
Nad jej spoczynkiem
W wieczności,
I smutek,

Gdy patrzę na jej fotografię
Wiszącą na ścianie[3].

Pustka jest nie tylko wokół nas, ale i w nas samych. Jeśli nie ma już bliskiego – żony, męża, siostry, ukochanego dziecka – to i w nas nie powinno już być wszystkich tych przeżyć, które nas z nimi wiązały. Czujemy, że zabrali oni ze sobą kawałek nas samych: naszego serca, pamięci, nadziei... Św. Augustyn pisał po śmierci przyjaciela: „W owych latach od pierwszej chwili, kiedy w rodzinnym mieście zacząłem nauczać, znalazłem przyjaciela, bardzo drogiego z powodu wspólności upodobań, rówieśnika, kwitnącego kwiatem młodości. Wzrastał on razem ze mną: równocześnie chodziliśmy do szkoły i wspólnie się bawiliśmy. (...) I oto Ty... zabrałeś człowieka z tego świata, gdy zaledwie rok przeżył ze mną w przyjaźni, milszej dla mnie nad wszystkie przyjemności ówczesnego życia. (...) Jakimże bólem zostało przyćmione serce me i na cokolwiek popatrzyłem, wszędzie była śmierć. Ojczyste miasto męką mi było, a dom rodzicielski dziwnym nieszczęściem; cokolwiek zaś łączyło mnie z przyjacielem, to bez niego obracało się w nieznośną torturę. Szukały go wszędzie oczy me, a nie było go; znienawidziłem wszystko, co było bez niego, i nic nie mogło mi już powiedzieć: oto idzie, jak bywało, gdy się zjawiał nieobecny. Sam stałem się dla siebie wielką zagadką"[4].

Z czasem rana się goi a miejsce pustki zajmuje cień, cień nieusuwalny. Ludzie, którzy stracili bardzo bliskich,

---

[3] R. Brandstaetter, *Psalmy żałobne o śmierci mojej żony*, w: *Księga modlitw dawnych i nowych*, Poznań 1987, s. 108–109.

[4] Św. Augustyn, *Wyznania*, przeł. Z. Kubiak, Warszawa 1978, s. 106–107.

żyją z cieniem, zacienieni. Nie są już tymi samymi co niegdyś, gdyż ich część pozostaje „tam", poza początkiem. W ich życiu z czasem pojawia się coraz więcej cieni; to znak, że sami coraz bardziej „tam" się zbliżają.

Im bardziej pozostają samotni i uświadamiają sobie konieczność wejścia w bramę śmierci w całkowitej samotności i milczeniu, tym bardziej wydają się szukać komunii z innymi. Czy jest to oznaką słabości? Szestow tak pisze o śmierci Sokratesa: „Jakże trudno jest czytać to, co opowiada Platon o rozmowach, które prowadził przed śmiercią Sokrates! Jego dni i godziny są już policzone, a on mówi, mówi i mówi... Kriton przychodzi do niego skoro świt i komunikuje, że dziś-jutro święty okręt powróci do Aten, a Sokrates jest już gotów rozprawiać, dowodzić... Możliwe wprawdzie, że nie całkiem należy wierzyć Platonowi. Powiadają, ze Sokrates miał rzec o zapisanych przez Platona dialogach: »Ależ nakłamał o mnie ten młodzieniec«. Wszystkie źródła wszakże podają zgodnie, że Sokrates spędził miesiąc po skazaniu na niekończących się rozmowach z uczniami i przyjaciółmi. Oto co znaczy być kochanym i mieć uczniów. Nie pozwolą nawet spokojnie umrzeć... Najlepsza jest taka śmierć, która uchodzi za najgorszą: gdy nikogo przy człowieku nie ma. Umrzeć daleko na obczyźnie, w szpitalu, jak to się mówi – niczym pies pod płotem"[5]. Szestow, mimo iż ukrywa się za maską ironii, zdaje się zazdrościć Sokratesowi. Nietrudno zrozumieć – zważywszy ambiwalencję śmierci i umierania – racje tej ucieczki w samotność. Jest to przejaw buntu. Jeśli musimy rozstać

[5] L. Szestow, *Apoteoza nieoczywistości*, dz. cyt., s. 23.

się z bliskimi, to lepiej będzie, gdy oni nie będą tego oglądać. Patrzymy wówczas na zwierzęta, które czując zbliżającą się śmierć, odłączają się od stada i odchodzą na osobne miejsce, aby tam skonać.

Im więcej cieni – jako śladów nieobecności – otacza żyjących, tym częściej myślą oni także o wyjątkowości śmierci. Każdemu, kto myśli o własnym umieraniu, śmierć wydaje się czymś jedynym, tak jak jedynym i wyjątkowym jest dla każdego jego własne życie. Każdy sądzi, że jego śmierć będzie jakimś końcem świata. Musi jednak oswoić się z myślą, że będzie ona jedynie końcem jego świata. Być może zainteresuje tylko kilku najbliższych. Świat będzie biegł swoimi torami.

Kiedy Sokrates truciznę pił
tańczyły drzewa
i dym
wąską smugą
ponad kominem śpiewał

kiedy Sokrates
truciznę kropla po kropli
domy
stały w słońcu statyczne
dostojne

kiedy Sokrates
postawił kropkę
po ostatnim pytaniu
świat
kołysząc się na wietrze
ziewał[6]

---

[6] H. Poświatowska, *Wiersze wybrane*, dz. cyt., s. 419.

Wobec nudy świata i tragizmu własnego odejścia pozostaje jednak nadzieja, że z tamtej strony padają cienie. Że padają one sprzed początku, gdzie jest pierwsza litera „Aleph", *Anochi* – „Jam": „Jam jest Pan, Bóg Twój".

NOTA BIBLIOGRAFICZNA

Umiejętność życia – „Res Publica Nowa" 2000, nr 9, s. 4–17 (pt. *O umiejętności życia*).

Los – zmieniona wersja artykułu *Fenomenologia ludzkiego losu* opublikowanego w: *Wartość bycia. Władysławowi Stróżewskiemu w darze*, Kraków–Warszawa 1993, s. 142–158.

Miłość i śmierć – „Znak" 1995, nr 486, s. 61–75.

Samotność – „Przegląd Filozoficzny" 1999, nr 1(29), s. 51–64.

Spotkanie – tekst niepublikowany.

Bóg i nihilizm – „Znak" 1994, nr 469, s. 4–14 (pt. *Myślenie z wnętrza nihilizmu*).

Wychowanie do wolności – zmieniona wersja artykułu opublikowanego w: *Poza kryzysem tożsamości. W kierunku pedagogiki personalistycznej*, red. F. Adamski, Kraków 1993, s. 97–114.

Wolność i odpowiedzialność – zmieniona wersja artykułu *Wolność i władza*, „Civitas. Studia z Filozofii Polityki" 2001, nr 5, s. 56–71.

Nuda – tekst niepublikowany.

Nadzieja – tekst niepublikowany.

Enigma cierpienia – zmieniona wersja artykułu opublikowanego w: *Człowiek wobec religii*, red. K. Mech, Kraków 1999, s. 223–237, oraz w: „Znak" 1998, nr 516, s. 29–40.

Wdzięczność – w: *Honoris causa. Księga pamiątkowa ku czci Józefa Tischnera*, Łódź 1997 (pt. *O wdzięczności*).

Umieranie – zmieniona wersja artykułu *Cień śmierci*, „Tygodnik Powszechny" 2000, nr 45, s. 8–9.

SPIS TREŚCI